Vous valez mieux que vous ne pensez

Données de catalogage avant publication (Canada)

Cleghorn, Patricia

Vous valez mieux que vous ne pensez: les secrets de l'estime de soi

Traduction de: The secrets of self-esteem.

1. Estime de soi. 2. Réalisation de soi. 3. Critique (Psychologie). I. Titre.

BF697.5.S46C5414 1997 158.1 C97-940746-X

DISTRIBUTEURS EXCLUSIFS:

- Pour le Canada et les États-Unis:
  MESSAGERIES ADP*
  955, rue Amherst,
  Montréal, Québec
  H2L 3K4
  Tél.: (514) 523-1182
  Télécopieur: (514) 939-0406
  * Filiale de Sogides ltée

- Pour la Belgique et
  le Luxembourg:
  PRESSES DE BELGIQUE S.A.
  Boulevard de l'Europe 117
  B-1301 Wavre
  Tél.: (010) 42-03-20
  Télécopieur: (010) 41-20-24

- Pour la Suisse:
  TRANSAT S.A.
  Route des Jeunes, 4 Ter
  C.P. 125
  1211 Genève 26
  Tél.: (41-22) 342-77-40
  Télécopieur: (41-22) 343-46-46

- Pour la France et les autres pays:
  INTER FORUM
  Immeuble Paryseine, 3, Allée de la Seine,
  94854 Ivry Cedex
  Tél.: 01 49 59 11 89/91
  Télécopieur: 01 49 59 11 96
  Commandes: Tél.: 02 38 32 71 00
  Télécopieur: 02 38 32 71 28

L'ouvrage anglais a été publié par Element Books Limited
sous le titre *The Secrets of Self-Esteem*

Dépôt légal: 3e trimestre 1997
Bibliothèque nationale du Québec

ISBN 2-7619-1386-8

PATRICIA CLEGHORN

Vous valez mieux que vous ne pensez

Les secrets de l'estime de soi

Traduit de l'américain
par Louise Drolet

Note de l'auteur

Vous pouvez commencer par lire ce livre d'une couverture à l'autre, ou vous limiter aux parties qui piquent votre curiosité. Toutefois, pour en tirer le meilleur parti possible, je vous conseille, après avoir lu chaque section, de faire les brefs exercices de la rubrique Cible personnelle qui termine chacune d'elles et d'évoquer régulièrement les pensées positives qu'elle renferme.

Les réflexions sur l'estime de soi-même qui émaillent le texte, sont des suggestions destinées à vous aider à entretenir des pensées bénéfiques à l'égard de vous-même. Parcourez-les une ou deux fois au fil de votre lecture. Plus vous nourrirez de pensées positives, plus vous aurez confiance en vous et en votre vie. Avec le temps, vous pourrez les varier à votre gré et élaborer vos propres pensées utiles.

À mesure que vous avancerez dans votre lecture, vous profiterez grandement de la mise en pratique des suggestions de votre choix. Votre optique changera du tout au tout entre le début et la fin de votre lecture. Vous deviendrez plus joyeux et vous sentirez apte à réussir dans les domaines qui vous tiennent à cœur. Vous apprendrez à vous apprécier vraiment.

Première partie

Développez votre estime de vous-même

1

Développez votre estime de vous-même

Vous arrive-t-il parfois de tergiverser et de manquer d'assurance, de souhaiter opérer des changements et être plus heureux sans pour autant savoir comment vous y prendre? Donnez-vous l'impression d'être sûr de vous et heureux alors qu'au fond, votre vie vous paraît morne et dépourvue d'une véritable direction? Vous serez peut-être étonné d'entendre qu'il s'agit là d'un excellent point de départ. Ce manque de confiance en vous-même ou ce sentiment d'incomplétude peuvent vous aiguillonner et vous aider à avancer. Vous n'êtes pas le seul à vous mésestimer: presque tout le monde le fait à un moment ou à un autre. Le doute de soi et les difficultés relationnelles sont étroitement liés à une mauvaise opinion de soi. Si des changements inattendus vous donnent l'impression d'avoir perdu les commandes de votre vie, développer votre estime de vous-même vous redonnera un sentiment d'équilibre et de gouverne. Chaque jour, vous apprendrez à mieux employer votre temps et votre énergie. Peu importent votre âge et votre situation, vous pourrez vous concentrer sur les aspects de votre vie qui vous tiennent à cœur.

Lorsque vous vous trouvez en présence de personnes sûres d'elles et bien dans leur peau, vous vous demandez peut-être quel est leur secret.

Vous pensez peut-être qu'une personne ou une chose extérieure à vous peut renforcer votre estime de vous-même. Qu'est-ce qui, selon vous, stimulerait votre amour-propre? Vous souhaitez peut-être mieux réussir dans vos entreprises, être plus attirant, plus jeune ou plus populaire. Peut-être êtes-vous impatient de rencontrer l'âme sœur ou d'améliorer votre relation actuelle. Vous êtes peut-être tenaillé par un sentiment d'insécurité ou d'incomplétude.

Bien sûr, nous rêvons tous de régler nos problèmes d'un coup de baguette magique. Ce n'est pas possible, mais heureusement, vous pouvez insuffler vous-même de la magie dans votre vie. Même tout en rêvant d'une vie plus satisfaisante, vous pouvez commencer à vous respecter tout de suite, c'est-à-dire à vous traiter avec égards plutôt qu'avec dureté. Ce respect de vous-même vous obligera également à identifier vos désirs et besoins, ce qui vous convient à vous personnellement. Si vous voulez vous ménager, vous devrez non seulement veiller à ne pas vous épuiser à la tâche, mais encore surveiller en quels termes vous parlez de vous-même aux autres et surtout, à vous-même. Beaucoup d'entre nous trouveraient inacceptables, dans la bouche d'un autre, les discours qu'ils se tiennent à eux-mêmes.

❦ *Je commence à me respecter*
et à m'aimer davantage. ❦

Cessez de vous critiquer et commencez à vous apprécier

Votre premier pas consiste à remarquer les moments où vous vous critiquez vous-même. Prenez conscience de l'«orgie de critiques» à laquelle se livre votre petite voix intérieure qui vous dénigre sans arrêt: «Je suis nul, je n'y arriverai jamais, je ne suis pas capable, je suis si bête, pourquoi n'ai-je pas..., si seulement j'avais...» Laissez cette voix vous critiquer toute la journée et c'est la déprime assurée. Au lieu de cela, prenez sur vous de dire: «Assez! Voici les qualités que j'apprécie chez moi: ma cordialité, ma patience, mon courage, mon sens de l'humour, mes talents vestimentaires et la sensibilité avec laquelle je me suis chargé de ce démon.» Dernièrement, un de nos participants se rendit compte que, s'il avait parlé à ses amis comme il se parlait à lui-même, il n'en aurait aucun! S'estimer soi-même présente de nombreux avantages: vous vous sentirez beaucoup mieux et tellement plus efficace dans votre vie tant personnelle que professionnelle. En prime, vous serez moins dépendant de l'appréciation des autres, ce qui, en retour, les incitera à vous apprécier davantage! S'apprécier soi-même est beaucoup moins stressant que de se critiquer sans arrêt.

Il pourra vous paraître étrange, au début, de concentrer votre attention sur vos qualités et gestes positifs au lieu de remarquer ce que vous avez omis de faire ou auriez pu faire différemment. À la fin de chaque journée de travail, prenez le temps, non pas de réviser mentalement ce que vous avez *négligé* de faire, mais d'apprécier ce que vous avez *accompli* avec succès. Puis, lorsque vous serez seul et aurez besoin d'une petite tape dans le dos ou d'un mot gentil, vous pourrez vous apprécier et vous encourager vous-même.

❦ *Je m'apprécie moi-même.* ❦

Vous accepter vous-même vous aidera à apporter des changements dans votre vie

Inutile d'attendre à plus tard pour vous aimer et vous apprécier vous-même. Très souvent, nous avons l'impression que si nous perdions tant de kilos ou gagnions tant d'argent, nous serions à peu près acceptables. Notre nature humaine fait que nous voulons tous nous sentir aimés et acceptés. Il est tout à fait naturel que vous souhaitiez cela pour vous-même et l'appréciiez quand cela se produit. Toutefois, vous êtes la plus importante source de cette acceptation. Les autres peuvent difficilement vous aimer et vous accepter tel que vous êtes si vous ne le faites pas vous-même. S'il y a certains aspects de votre personne que vous n'aimez pas ou jugez inacceptables, concentrez-vous consciemment sur les traits qui vous plaisent.

L'acceptation et l'amour de soi sont des facteurs de bien-être qui, en fait, vous aideront à mener la plus belle vie qui soit. Ce n'est pas parce que vous manifestez un peu de compassion et de compréhension envers vous-même que vous deviendrez paresseux. Il est plus facile de réaliser les changements que l'on désire quand on s'appuie et s'encourage soi-même. Aussi n'attendez pas, pour vous aimer et vous sentir bien, d'avoir modifié votre personne et votre vie! Vous atteindrez plus facilement vos objectifs en ce qui touche votre poids, par exemple, votre forme physique, vos progrès professionnels ou des relations plus harmonieuses si vous commencez par vous accepter tel que vous êtes. Votre acceptation de vous-même est une amie que vous voudrez conserver pour la vie!

❦ *Il m'est de plus en plus facile de m'accepter moi-même.* ❦

Commencez à vous approuver

Perdez l'habitude de vous désapprouver! Se blâmer soi-même est un jeu d'enfant, surtout quand on a l'impression que l'on devrait être différent, que l'on devait accomplir davantage en moins de temps, par exemple, progresser plus vite dans sa carrière ou mieux s'y prendre dans une relation. Nous nous blâmons souvent sans raison précise. Bien des gens qui ont l'air de s'accepter se mésestiment et se critiquent en leur for intérieur. Cela n'est pas étonnant, car que nous ayons été élevés dans le confort matériel ou non, on nous enseigne rarement à nous approuver et à nous respecter nous-mêmes. Chez la plupart d'entre nous, l'habitude de nous désapprouver découle en général de nombreuses années passées à nous déprécier, à essuyer la réprobation des autres et à nous juger durement. On peut passer bien du temps à se soucier de l'approbation des autres en général ou de certaines personnes. Très souvent, nous nous faisons du mauvais sang au sujet d'une réprobation qui est peut-être inexistante. Une personne qui a l'air sérieux est peut-être simplement en train de réfléchir à ce qu'elle boira à la pause café! Votre supérieur affiche un air grave au cours d'une réunion? Il s'inquiète peut-être tout bonnement de l'impression qu'il produit. Pensez-y. La personne dont vous voulez tant obtenir l'approbation est peut-être en train de rechercher la vôtre! Détendez-vous donc et approuvez-vous.

Approuvez-vous en tout temps et en toutes circonstances, car vous êtes la personne clé de votre vie. Approuvez-vous même si vous voudriez que la situation soit différente. Approuvez-vous surtout si vous craignez qu'une autre personne ne vous désapprouve ou que vous venez de commettre une erreur; vous aurez moins de mal à la corriger ou à la chasser de votre esprit. Vous ne pouvez pas *obliger* les autres à vous approuver; vous avez peut-être déjà tenté l'expérience. Vous pouvez cependant vous approuver vous-même un peu plus et vous verrez que les autres vous approuveront davantage de toute façon!

❦ *Je m'approuve même quand je voudrais avoir agi différemment.* ❦

Donnez-vous la permission d'aller de l'avant

Pensez à toutes les fois où vous vous êtes empêché d'agir parce que vous doutiez d'avoir l'approbation de quelqu'un. Une jeune secrétaire issue d'une famille stricte, qui participait à l'un de nos programmes, souhaitait quitter son emploi pour se lancer à son compte comme maquilleuse de vedettes de la télévision. Or, ce travail nécessitait une formation supplémentaire. Comme sa famille refusait de la soutenir dans cette voie, elle dut s'approuver elle-même et se donner la permission d'aller de l'avant. Elle en eut d'abord le courage, remporta le prix de la meilleure élève et se lança avec succès dans sa nouvelle carrière. Vous retenez-vous de faire une chose qui vous plairait plus que tout, pour la simple raison que l'on ne vous approuve pas entièrement? Décidez d'abord si cette activité vous plaît vraiment et si elle serait bénéfique pour vous. Puis donnez-vous la permission d'aller de l'avant. Si vous attendez l'approbation de quelqu'un, vous risquez d'attendre longtemps; de plus, votre propre soutien vous appuiera dans vos démarches.

Cessez de vous inquiéter

Nous savons tous que de se faire du souci n'arrange rien et risque seulement d'empirer notre état d'esprit. Cela ne nous empêche pas toutefois de le faire, surtout si nous en avons l'habitude, ce qui est le cas de la plupart des gens. Additionnez tous les moments de la semaine que vous passez à vous inquiéter. Vous en sentez-vous mieux? Cela vous est-il utile en quoi que ce soit? S'inquiéter de façon quasi continuelle est un gaspillage d'énergie.

Dès que vous commencez à vous inquiéter à propos du passé, autant que possible lâchez prise. Si c'est l'avenir qui vous tracasse, voyez la différence entre ressasser vos craintes et prêter attention à une préoccupation sincère afin de prendre les mesures qui s'imposent. Notre anxiété face à l'avenir est souvent injustifiée. Par exemple, dans une entreprise où plusieurs employés craignaient les effets des changements annoncés, régnait une atmosphère de découragement et de négativité et une absence de motivation. Conscient que les employés se déprimaient mutuellement, l'un d'eux arbora une attitude plus optimiste, rehaussant ainsi la vitalité et les espoirs du groupe tout entier. Somme toute, les changements se révélèrent bénéfiques à mesure que les membres du groupe devenaient plus positifs, plus flexibles et s'ouvraient à de nouvelles perspectives. Si, donc, vous constatez que vous perdez votre temps à vous ronger les sangs et que cela vous déprime, arrêtez-vous. Prenez la décision de vous débarrasser de cette habitude. Chaque jour, disons à 18 h 30, réservez-vous une «séance de tracas» de 10 minutes pendant laquelle vous pourrez vous faire de la bile à volonté. Pendant la journée, chaque fois que l'inquiétude revient vous assaillir, repoussez-la jusqu'à 18 h 30. Il est beaucoup moins agréable de s'inquiéter sur commande! Quand votre inquiétude s'atténuera, n'oubliez pas d'annuler votre séance de tracas afin d'éviter que votre esprit ne poursuive cette activité!

❦ Moins je m'inquiète,
plus j'ai de temps et d'énergie. ❦

Cessez de vous blâmer

Vous rendez-vous compte que vous vous blâmez continuellement? Cette habitude ne soutient pas votre estime de vous-même, car elle entretient en vous un sentiment de culpabilité et une vague anxiété. Même si vous décidez de vous amender, même si vous présentez vos excuses et vos regrets à une personne que vous avez blessée, le fait de revenir sans cesse sur le passé, de vous blâmer et de vous déprécier ne vous aide pas le moindrement.

Vous pouvez toujours, dans le présent, choisir vos actions et vos comportements, mais il ne sert à rien de vous blâmer pour ce que vous considérez comme des erreurs, des omissions ou de mauvais choix passés. Jusqu'à un certain point, on fait toujours de son mieux. C'est toujours après coup, et avec du recul, qu'on a l'impression que l'on pourrait avoir fait mieux.

Si vous avez pris l'habitude de vous blâmer, si vous vous accusez sans cesse de tout, voyez comme vos ruminations vous bouleversent et vous démoralisent. Libérez-vous doucement de ces pensées négatives. Congédiez-les et prenez la ferme décision de ne plus vous blâmer ni vous condamner vous-même.

❦ *Je cesse de me blâmer*
et je choisis la paix de l'esprit. ❦

Vous aurez beau ruminer, vous torturer et vous admonester, rien de cela ne pourra redresser vos actions passées. Il est peu probable que vous ayez commis une action si affreuse que vous ayez besoin de vous punir encore et encore. Concentrez-vous plutôt sur ce qui est important pour vous et vous rend heureux.

Écoutez-vous: vous savez ce qui est le mieux pour vous

Si vous voulez améliorer votre estime de vous-même, vous devez concentrer votre attention sur ce qui vous tient à cœur. En vous écoutant afin de découvrir ce qui est le mieux pour vous, vous développerez votre intuition, ce guide infaillible qui sait ce qui vous convient en tant qu'individu unique. C'est elle qui est à l'œuvre quand il vous vient un «pressentiment», quand vous avez l'«impression» que vous devez à tout prix accomplir une action.

Vous vous rappelez sans doute les jours où vous avez suivi votre intuition et où tout s'est passé facilement et sans efforts. À d'autres moments, vous avez d'excellentes idées qui ne vous semblent pas «raisonnables» dans un premier temps et que vous rejetez, pour y revenir des mois plus tard.

Si obéir à votre intuition vous rend nerveux, commencez par une décision ayant une portée minime et dans laquelle peu importe que vous fassiez le bon choix — par exemple, quel livre acheter. À mesure que votre confiance grandira, vous pourrez mettre votre intuition à l'épreuve pour des décisions plus importantes.

Vous méritez le bonheur

Vous méritez d'être heureux. Vous n'êtes pas sur terre pour souffrir. Vous avez peut-être constaté, cependant, que lorsque vous êtes heureux et satisfait depuis un certain temps, vous vous dites que cela est trop beau pour être vrai. Le contraste avec vos périodes de découragement est trop grand. Comprenez que la gaieté est un état naturel quand on s'estime soi-même. En outre, vous êtes peut-être convaincu que vous seriez plus heureux si votre situation était différente. Or, ce n'est pas nécessairement le cas. Pourquoi attendre? Vous pouvez décider tout de suite d'être heureux. C'est vous qui choisissez votre état d'esprit; trouvez ce qui vous rend heureux, puis accordez-vous-le.

Très souvent, nous voulons obtenir l'attention des autres; pour être plus heureux, par exemple. Or, c'est à nous de créer notre bonheur. Cela nous libère et libère les autres. Il est important de comprendre que personne n'est responsable de notre bonheur, pas plus que nous le sommes du bonheur des autres. Aujourd'hui, après vous être acquitté de vos tâches essentielles, demandez-vous ce que vous pourriez faire pour vous sentir bien et heureux.

Une jeune femme était vraiment irritée et mécontente de divers aspects de sa vie; elle pestait continuellement contre les autres et contre elle-même. Lorsqu'elle décida de faire attention à elle, de s'accorder davantage ce qu'elle désirait et qu'elle se demanda ce qu'elle pouvait se donner, son humeur s'allégea et sa satisfaction grandit.

Une mère de jeunes enfants faisait toujours passer tout le reste avant elle-même. Elle avait la constante impression de ne compter que pour du beurre et de ne pas pouvoir faire ce qu'elle voulait. Lorsqu'elle chercha des façons de se ménager du temps au jour le jour et demanda l'aide nécessaire, elle se sentit moins lasse et put examiner ses désirs à long terme tout en appréciant la présence de ses enfants.

Si vous faites ce qui est bon pour vous et vous fait plaisir, vous serez plus satisfait et moins exigeant. Ce n'est pas parce que vous veillez à votre bonheur que vous deviendrez moins aimant, compatissant et obligeant. Au contraire. Vous serez comblé et de bien meilleure compagnie.

❦ *Quand je fais ce qui est bon pour moi,*
tout le monde en profite. ❦

Prenez la décision de vous traiter avec égards

Vous ne maltraiteriez pas délibérément une autre personne, n'est-ce pas? En fait, nous sommes plutôt habiles à trouver ce qui plairait aux autres, à leur préparer des surprises, à leur offrir des présents et à leur rendre service. Pourtant nous sommes souvent très durs envers nous-mêmes et nous ne nous arrêtons que rarement pour réfléchir aux petits plaisirs que nous pourrions nous accorder. Si vous êtes débordé et avez un délai important à respecter au travail, il serait logique que vous ménagiez vos forces et remettiez à plus tard la peinture du hall d'entrée, par exemple. Comme le même principe s'applique à tous les domaines de votre vie, voyez ce que vous pouvez faire chaque jour pour vous rendre la vie plus agréable.

❦ *J'ai pour moi-même les mêmes égards*
que j'ai envers les autres. ❦

Se traiter avec égards est partie intégrante d'une solide estime de soi-même. Ce n'est pas en vous traitant avec dureté et en vous punissant que vous vous sentirez mieux. Toutefois, vous n'avez peut-être pas encore accordé une pensée à ce qui est le mieux pour vous. Même quand vous êtes occupé, ne négligez pas de réserver du temps aux activités qui vous plaisent. Vous avez beau aimer votre travail et votre famille, il est important que vous preniez des congés et fassiez ce que vous avez vraiment envie de faire. Vous pouvez peut-être trouver des façons de vous ménager en cessant de vous tuer à la tâche, par exemple. Faites-vous régulièrement en sorte de fréquenter des personnes positives et marrantes en plus de celles qui ont besoin de votre aide et de votre appui? Pendant les périodes où vous êtes très pris, pensez à vous traiter avec douceur et considération.

Comme vous vous exercez en ce moment à développer votre estime de vous-même, attendez-vous à ressentir des améliorations immédiates. Vous avez peut-être déjà constaté que vous avez meilleure opinion de vous-même et que vous voyez votre vie sous un meilleur jour. Rappelez-vous les trois A de l'estime de soi-même: s'accepter, s'apprécier et s'approuver soi-même. Moins vous vous blâmerez et vous inquiéterez, plus vous aurez d'énergie. Continuez d'écouter vos pressentiments, fiez-vous à votre intuition pour savoir ce qui vous convient à vous. N'oubliez pas de vous ménager.

Il est important que, quel que soit votre âge, vous réfléchissiez à vos objectifs et à vos priorités. Qui que vous soyez, quelle que soit votre situation, ne vous sous-estimez jamais. Il n'y aura jamais une autre personne comme vous. C'est détendu que vous êtes à votre meilleur! Aussi détendez-vous et n'oubliez pas de vous respecter. Comme vous le verrez dans les prochains chapitres, vous pouvez créer votre propre réussite, la réussite qui vous convient à vous!

❦ *Plus je me détends et me respecte,*
plus j'ai confiance en moi. ❦

Notes concernant les cibles personnelles et les exercices de détente

Le but de chaque *Cible personnelle* est de vous amener à réfléchir en profondeur à ce que vous avez lu et à aborder *votre* vie et *vos* intérêts dans une optique fondée sur l'estime de vous-même. Vous pouvez écrire dans les espaces vierges. Si vous voulez poursuivre ou reprendre un exercice, utilisez un cahier séparé.

Commencez par suivre la technique générale de détente avant de faire les exercices qui suivent. Dès que cette technique vous sera familière, ou si vous connaissez une autre façon de vous détendre par vous-même, vous pourrez choisir un exercice de détente additionnel.

Cible personnelle

APPRÉCIEZ CE QUE VOUS ÊTES

1. Détendez-vous et inspirez profondément. Dressez une liste de toutes les qualités et aptitudes que vous aimez et appréciez en vous-même.

Si vous vous aimiez encore davantage, y a-t-il une faveur particulière que vous vous accorderiez? Notez-la ici et accordez-vous-la.

2. Chaque fois que vous vous surprenez à vous critiquer, arrêtez-vous et prenez votre cahier. Consacrez une minute ou deux à l'énumération de vos qualités. Au besoin, faites cet exercice plusieurs fois par jour.

Approuvez-vous

1. Décrivez une situation dans laquelle votre approbation de vous-même peut faire toute la différence. Peut-être devez-vous passer une entrevue, vous vous sentez jugé ou vous vous comparez défavorablement aux autres. Comment vous sentirez-vous quand vous vous approuverez davantage? En quoi ce surcroît d'approbation améliorera-t-il cette situation pour vous?

2. Y a-t-il une activité qui vous attire mais que vous ne faites pas parce que vous ne vous en accordez pas la permission? Décrivez-la.

Accordez-vous cette permission! Que ferez-vous maintenant?

Cessez de vous blâmer

1. Énumérez toutes les choses pour lesquelles vous vous blâmez et admonestez constamment.

Que ressentez-vous en vous relisant? Êtes-vous triste ou en colère? Décrivez vos sentiments.

Maintenant demandez-vous si vos remontrances continuelles vous aident. Soyez clair. La réponse est non! Décidez de ne plus vous blâmer. Dites-vous: «Je décide de ne plus jamais me blâmer», «Je choisis la paix» ou écrivez toute autre pensée susceptible de vous aider.

Que pouvez-vous faire pour concentrer votre attention sur quelque chose de gai, qui vous tient à cœur? Prenez-en note et agissez!

Écoutez-vous

Notez vos pressentiments, vos intuitions et vos rêveries concernant ce qui compte à vos yeux, ce que vous aimeriez faire. Il suffit de quelques minutes par jour. Puis examinez comment vous pourriez mettre en œuvre certaines des activités que vous avez inscrites ci-dessus. Par exemple, vous n'êtes peut-être pas en mesure de vous accorder les vacances de vos rêves maintenant, mais vous pouvez sans doute prendre une journée de congé pour aller faire du ski ou une heure pour marcher dans le parc. Profitez de cette pause pour élaborer vos projets de vacances.

Traitez-vous avec douceur

1. Énumérez six activités qui vous font toujours du bien, comme de marcher au bord de la rivière, prendre un bain aux huiles aromatiques, recevoir un massage, bavarder avec un ami, lire, écouter de la musique, n'importe quelle activité qui vous plaise. Choisissez-en une à laquelle vous pourrez vous livrer dans la journée qui suit.

1
2
3
4
5
6

2. Demandez-vous ce que vous pourriez faire pour vous-même aujourd'hui, ce qui vous conviendrait parfaitement et vous ferait plaisir. Cela est particulièrement important si vous êtes débordé en ce moment et avez l'impression d'avoir très peu de temps pour vous-même. Écrivez ce qui vous ferait plaisir et faites-le!

Exercices de détente

Technique générale de détente

Prévoyez environ dix minutes. Choisissez un moment et un endroit où vous ne serez pas dérangé. Asseyez-vous ou allongez-vous confortablement. Vérifiez votre position et modifiez-la au besoin pour plus de confort. Fermez doucement les yeux et prenez le temps de détendre votre corps en commençant par votre tête et en descendant progressivement jusqu'à vos pieds. Assurez-vous que votre respiration est détendue, normale mais détendue. Chassez de votre esprit toutes vos préoccupations, congédiez-les. Détendez-vous. N'essayez pas de faire le vide, laissez-vous aller tout simplement. Reportez toute votre attention sur vous-même; elle est peut-être fixée sur d'autres personnes ou des situations — reportez-la sur vous-même.

Si vous sentez que votre tête fourmille de pensées, continuez de vous détendre et de vous laisser aller. C'est une chose naturelle qui finira par passer si vous pratiquez cet exercice régulièrement. Il en va de même pour les émotions qui semblent s'interposer. Laissez-les passer.

Quand vous aurez fini de vous détendre et voudrez vous lever, assurez-vous que vous êtes à l'aise physiquement et rappelez-vous que vous êtes détendu, mais l'esprit alerte, de plus en plus éveillé et débordant d'énergie. Si vous étiez allongé, roulez sur le côté et levez-vous lentement.

Dès que vous serez à l'aise avec cette technique générale, vous pourrez y ajouter n'importe quel bref exercice de détente. Lisez l'exercice en entier avant de fermer les yeux pour commencer à vous détendre. Relevez les principaux points de l'exercice. Rappelez vous qu'il est plus important de vous détendre que de mémoriser les moindres détails. À la fin de l'exercice, vous pourrez prendre des notes si vous le désirez.

Débarrassez-vous de vos soucis

Après avoir suivi la technique générale de détente décrite ci-dessus, imaginez que vous prenez une boîte vide de la taille que vous voulez. Il s'agit d'une boîte très spéciale dans laquelle vous déposerez toutes vos inquiétudes, qui s'y trouveront ainsi absorbées et dissoutes. Imaginez-vous en train de faire ce geste de vous décharger de tous vos tracas, de tous les soucis au sujet desquels vous ne faites jamais rien. Déposez-les dans la boîte. Puis éloignez-vous de la boîte ou imaginez-la en train de s'éloigner ou de disparaître. Remarquez le sentiment de légèreté et d'insouciance qui vous envahit. Sortez doucement de votre état de détente.

Traitez-vous avec égards

Après avoir suivi la technique générale de détente, imaginez que vous avez l'air bien et que vous vous sentez bien. Chassez de votre esprit toutes vos préoccupations ou contrariétés. Chassez-les et reportez toute votre attention sur vous-même. Tout en vous détendant, pensez à toutes les petites attentions que vous pouvez avoir à votre égard pour rendre votre journée ou votre semaine plus facile, plus gaie et plus agréable.

À propos de la visualisation créative

Tout en suivant la technique pratique de détente, vous pourrez peut-être visualiser une scène relaxante ou un résultat que vous aimeriez créer. Assurez-vous de vous intégrer à cette scène; remarquez ce que vous portez, ce que vous faites, l'environnement dans lequel vous vous trouvez. Certains détails peuvent apparaître spontanément, mais ne vous inquiétez pas si l'image ne vous vient pas tout de suite; inventez-la tout bonnement. Rappelez-vous qu'il s'agit d'un jeu et que vous pouvez envoyer des pensées bienveillantes à tous vos amis afin que cette scène leur profite à eux aussi. Y a-t-il un détail qui manque à votre image? N'oubliez pas de vous y inclure! Quand vous sentirez que vous en avez fait suffisamment, arrêtez, assurez-vous d'être bien détendu, puis ouvrez doucement les yeux.

Deuxième partie

Prenez votre vie en main

2

Nos pensées: une source d'influence unique

C'est vous qui décidez, selon votre point de vue, à quoi ressemblent votre journée, votre vie et votre univers. Vous jouissez de cet étonnant pouvoir parce que vos pensées, qui vous appartiennent, sont aussi réelles que tout ce que vous pouvez toucher, sentir ou respirer. Ainsi, si vous laissez constamment se lever des pensées dénigrantes en vous, comme le font la plupart d'entre nous une grande partie du temps — par exemple «Je ne réussis pas très bien, je ne suis pas à la hauteur, je ne leur plairai sans doute pas, je n'y arriverai pas», et ainsi de suite — vous finirez par manquer de vitalité et par vous sentir pessimiste. Certaines personnes semblent accumuler les échecs et l'on comprend pourquoi quand on les écoute parler: leurs pensées travaillent contre elles. Ces personnes tiennent des propos tels que: «Tout ce que j'entreprends tourne toujours à la catastrophe.» Et c'est effectivement le cas! D'autres, par contre, nourrissent des pensées constructives et se répètent intérieurement: «Je réussis très bien, je saurai m'y prendre dans cette situation. Tout fonctionne pour le mieux!» De cette façon, elles abordent chaque situation avec la meilleure attitude qui soit.

Un homme qui s'était fixé des objectifs précis au travail semblait pourtant ne jamais les atteindre. Or, nous révéla-t-il, il se répétait sans cesse qu'il n'y arriverait jamais et n'était pas à la hauteur, alors que ses objectifs étaient loin de dépasser ses capacités. Quand il modifia ses pensées de façon à soutenir ses propres efforts et continua d'agir concrètement, il atteignit son but. Il ne sert à rien de se fixer des buts si on se répète qu'on n'y arrivera jamais et que le chemin sera trop ardu. Modifiez ces pensées et dites-vous: «Je peux y arriver, j'y parviendrai sans difficulté.»

Nos pensées ont un effet direct sur nos sentiments et sur notre qualité de vie. Répétez-vous sans cesse que vous êtes un nul et un raté, et vous finirez par vous sentir tel et par agir en fonction de ce sentiment. Dites-vous plutôt: «Je vais très bien, je suis compétent. Les gens m'aiment, je peux y arriver.» Il saute aux yeux que si, prenant conscience de nos pensées négatives, nous les améliorons, nous nous sentons aussitôt mieux.

❦ *Je choisis des pensées qui m'aident dans ma vie.* ❦

Programmez votre esprit d'une manière utile

Les pensées constructives aident le penseur, en l'occurrence vous-même; les pensées négatives font le contraire. Vos pensées influent sur vos sentiments et vos actions. Rappelez-vous toujours que vous avez votre mot à dire quant aux pensées qui vous visitent. Vous choisissez vos pensées. Ce sont elles, en grande partie, qui font de vous ce que vous êtes.

Votre esprit ressemble à un ordinateur. Les résultats que vous obtenez dépendent du programme que vous utilisez. Quand vous étiez petit, une grande partie de votre programme a sans doute été «créé» par vos parents, vos professeurs, ainsi de suite. La majorité de ces pensées vous auront été de quelque secours, mais certaines d'entre elles ne conviennent peut-être plus à la vie adulte que vous menez aujourd'hui. En outre, les enfants sont des êtres autodéterminés qui acquièrent très tôt de solides opinions et adoptent des points de vue qui ne sont peut-être plus pertinents. Vous devez vous assurer que vos pensées vous conviennent et vous sont tout à fait utiles.

Vous pouvez formuler vos pensées en fonction de ce que vous voulez qui se réalise. Peu importe qu'une pensée soit vraie maintenant, l'important c'est que vous vouliez la voir se concrétiser.

Il serait mal venu de vouloir influencer les autres contre leur gré, surtout en ce qui concerne leurs affaires privées, et pourtant vous pouvez exercer une influence profonde sur votre entourage en nourrissant des pensées constructives. Si nous ne pouvons pas influencer directement les autres — et nous ne pouvons certainement pas les *obliger* à embrasser notre point de vue — nous pouvons cependant transformer nos sentiments ou notre comportement dans n'importe quelle situation. De même que vous pouvez remarquer les pensées conscientes qui vous sont défavorables, vous pouvez prendre conscience des pensées qui influencent votre comportement et vos sentiments dans diverses situations. Si un événement se produit à répétition et vous dérange, il peut être utile de chercher si certaines pensées ou croyances sous-jacentes vous empêchent d'atteindre les résultats que vous voulez obtenir. Une fois cette pensée ou croyance mise à jour, vous pourrez la dissoudre ou la transformer en pensée positive.

Concentrez-vous sur le côté positif des gens et des situations

En pratique, vous trouverez extrêmement utile d'entretenir délibérément des pensées favorables et constructives au sujet d'une personne ou d'une situation. La générosité se manifeste d'abord par des pensées positives sur soi-même, puis sur les autres. Plus vous vous estimerez, plus vous serez généreux quant à ce que vous souhaitez pour vous-même et pour les autres.

Vous pourriez, par exemple, émettre des pensées et des sentiments bienveillants à l'égard de vos collègues de travail, en leur disant mentalement à quel point vous appréciez ce qu'ils sont ainsi que leur apport personnel. Dans nos relations les plus intimes en particulier, nous avons tendance à nous concentrer sur les aspects qui nous déplaisent ou qui, selon nous, laissent à désirer chez une personne. Mieux vaudrait nous concentrer plutôt sur ce qui nous plaît, sur ses qualités, ses points forts et sa gentillesse. Quand on s'arrête aux aspects positifs et bénéfiques d'une relation, on devient plus sensible à ces aspects.

Vous vous sentirez bien si vous cultivez des pensées positives, parce que vos pensées vous influencent vous, en premier lieu, et de façon plus profonde que les autres. Lorsque vous laissez monter en vous des pensées agréables et harmonieuses à l'égard des autres ou de vous-même, vous éprouvez une sensation de plaisir et d'harmonie. Vos pensées hostiles et haineuses vous affectent plus que les autres. C'est sur vous que retombe la bénédiction ou la malédiction de vos propres pensées.

Vos pensées n'influenceront pas nécessairement l'attitude et le comportement des autres, surtout s'ils n'ont pas du tout les mêmes visées que vous. Certaines personnes ne sont pas motivées par l'harmonie et la bienveillance, et vous aurez beau leur envoyer des pensées favorables, elles n'en feront qu'à leur tête. Aussi, vaut-il mieux les laisser tranquilles et vous occuper de votre propre vie. Fort heureusement, il n'est pas rare, lorsque l'on émet des pensées harmonieuses et bienveillantes à l'égard d'autrui, d'en voir les effets rejaillir sur soi!

❦ *Mes pensées bienveillantes me profitent à moi-même comme à autrui.* ❦

Vous choisissez vos pensées

Nous ne devons jamais oublier que c'est nous qui choisissons nos pensées. Si elles ne sont pas bénéfiques, nous pouvons facilement les modifier. Une femme, qui avait suivi l'un de nos cours, nous signala que, lorsque ses pensées les plus maléfiques à propos d'elle-même lui traversaient l'esprit avant une entrevue, elle les transformait calmement, de telle sorte qu'au moment de se présenter à l'entrevue, elle avait une excellente opinion d'elle-même. Cette faculté de choisir signifie que vous n'êtes jamais à la merci de vos pensées désagréables et négatives, tant pour ce qui est de leur influence sur vous que pour ce qui est des résultats obtenus. Vous n'êtes pas obligé d'entretenir ces fâcheuses pensées, vous pouvez facilement les chasser et les remplacer par celles que vous désirez.

❦ *Je choisis mes pensées à chaque instant.* ❦

Servez-vous de vos émotions pour étayer vos pensées

Nos pensées agissent d'abord sur nous, pour le meilleur ou pour le pire. Les puissantes émotions qui y sont parfois associées leur confèrent un pouvoir supérieur qui se répercute tant sur l'influence qu'elles exercent sur nous que sur nos accomplissements. Il est excellent de dynamiser ses pensées en les chargeant d'un pouvoir émotionnel. Toutefois, si vous constatez qu'un désir passionné («j'aimerais beaucoup posséder ceci») s'est changé en besoin désespéré («je dois *à tout prix* posséder ceci»), revenez à une attitude plus équilibrée. Une personne désespérée n'est pas attirante. Avec une attitude moins désespérée et plus équilibrée, vous avez de meilleures chances d'obtenir ce que vous voulez.

Vous pouvez aller au-delà de la pensée positive et adopter une approche intégrée dans laquelle vous focalisez vos pensées et vos émotions sur ce que vous voulez accomplir. De plus, si vous écoutez votre intuition pour vérifier ce qui vous convient à chaque instant, puis agissez en conséquence, vous ne pouvez manquer de réussir.

Si vous visez une plus grande réussite dans un domaine précis, vous devez identifier les pensées positives qui s'appliquent à votre situation. Vous pouvez transformer une vieille pensée destructrice ou en élaborer une nouvelle plus positive et y insuffler l'émotion que vous vous attendez à ressentir une fois votre but atteint. Imaginez l'émotion et ressentez-la immédiatement. Cela vous aidera à attirer vers vous ou à concrétiser le résultat que vous souhaitez.

Nos pensées, comme nos émotions, sont très puissantes. C'est en les combinant que nous pouvons nous aider le plus.

❦ *Je choisis des pensées susceptibles d'assurer ma réussite.* ❦

Cible personnelle

Choisissez des pensées constructives

1. Écrivez toutes les pensées vous concernant qui sont encourageantes et bénéfiques pour vous, par exemple: «Je sais écouter, je mène mes tâches à bien.» Voilà des pensées à vous rappeler et à répéter.

2. Écrivez les pensées qui ne vous sont d'aucun secours, par exemple: «Je ne suis pas sociable, je ne viendrai jamais à bout de ce projet.» Une fois ces pensées destructrices identifiées, dissolvez-les ou supprimez-les. Congédiez-les. Vous pouvez visualiser ce processus.

3. Si vous vous trouvez dans une situation sans issue, voyez ce que vous pouvez faire pour que vos pensées vous soutiennent et contribuent à dénouer la situation. Commencez par écrire les pensées que vous identifiez comme étant défavorables, par exemple: «Je ne suis pas assez compétent pour me proposer pour ce travail; mes progrès sont trop lents; je ne viendrai jamais à bout de cette tâche.»

Maintenant donnez-leur une tournure plus constructive, par exemple: «Je possède plus que la compétence nécessaire pour me proposer pour ce projet; je mène à bien les tâches et projets que j'entreprends avec assurance, compétence et aisance.» À cette étape-ci, vérifiez si vos nouvelles pensées vous paraissent fondées. Bien sûr, elles ne vous paraîtront pas vraies tout de suite sinon vous ne prendriez pas la peine de les répéter!

4. Si vous voulez réussir dans une situation donnée, demandez-vous quelles sont les pensées les plus utiles vous pourriez entretenir à propos du résultat. Tout en vous fixant un but et en agissant concrètement, répétez ces pensées constructives. Notez votre objectif dans cette situation ainsi que toute pensée favorable correspondante.

Exercice de détente

CULTIVEZ DES PENSÉES FAVORABLES

Tout en détendant votre corps et votre esprit, imaginez simplement que toutes vos pensées négatives fondent comme neige au soleil. Remplacez-les par une sensation de légèreté et de luminosité. Si une situation vous rend soucieux ou perplexe, faites appel à votre intuition pour vous aider à identifier vos pensées négatives; vous pourrez ainsi les transformer plus facilement. Évoquez maintenant vos nouvelles pensées constructives. Imaginez-vous dans la situation donnée avec ces nouvelles pensées positives. Prenez conscience du bien-être qui vous envahit. Vous pouvez ressentir ce bien-être n'importe quand. Vous savez quoi faire et vous le ferez. Puis sortez tout doucement de votre détente. Vous êtes maintenant prêt à passer à l'action.

3

Faites en sorte que vos émotions vous aident au lieu de vous gêner

Apprivoisez vos sentiments

Pour jouir de sa propre estime, il ne s'agit pas de passer ses sentiments les plus délicats au bulldozer. Il s'agit d'écouter, d'accepter et de respecter toutes ses émotions, même celles que l'on préférerait ne pas ressentir! Il se peut, toutefois, que vous trouviez vos émotions difficiles à affronter. Vous n'êtes pas le seul dans ce cas. Bien des gens trouvent l'univers des émotions compliqué et même effrayant. Il semble que, même si nous sommes très compétents dans certains domaines, dans notre vie professionnelle par exemple, nous soyons beaucoup moins sûrs de nous en ce qui touche nos émotions. Un peu comme si nous étions restés au stade de l'enfance ou de l'adolescence à cet égard. Évidemment, le fait que l'on s'attende à ce que nous «fassions bonne contenance» ou «gardions notre flegme» n'est pas pour améliorer les choses.

Vous trouvez peut-être que la colère, la vôtre ou celle des autres, est un sentiment particulièrement difficile à affronter. C'est le cas de bien des gens. Très souvent nous apprenons à réprimer notre colère et à la dissimuler. Vous vous rappelez peut-être avoir été puni pour avoir piqué une crise de rage étant petit, ou encore vous avez grandi dans une famille où personne n'exprimait ses émotions — sauf un membre peut-être, et sa présence à la maison ne passait certes pas inaperçue! Vous ne voulez donc rien savoir de ces émotions, mais la rage bouillonne toujours à l'intérieur de l'adulte que vous êtes!

Peut-être refoulez-vous aussi vos larmes et votre tristesse. Bien que cette conduite soit pertinente au travail, il est important que vous preniez conscience de vos sentiments. Une fois rentré chez vous, vous pouvez prendre le temps de pleurer ou d'exprimer votre colère si vous le voulez. Permettez-vous de ressentir votre tristesse ou votre colère, et elle se transformera.

Car les émotions se transforment. Par exemple, la colère peut se changer en détermination et la tristesse, en compassion. En outre, il est plus ardu qu'on le croit d'exprimer de la colère ou de la tristesse pure pendant une période prolongée; aussi dites-vous bien que vous ne resterez pas coincé avec ces émotions toute votre vie. Il est désagréable et épuisant de chercher à éviter ou à refouler ses émotions. Si vous acceptez de les ressentir doucement, elles passeront et finiront par se transformer.

Les participants à nos cours expriment souvent la crainte d'être submergés par leurs émotions, de les voir ressortir à un moment inopportun au travail ou se déchaîner et causer des dommages personnels ou matériels. Si vous considérez vos émotions sous cet angle, vous serez porté à les traiter comme un ennemi à combattre ou à repousser. Pourtant, c'est en apprivoisant vos émotions que vous pourrez le mieux soutenir votre progression. Elles sont parfois très révélatrices de nos désirs profonds.

Regardez la vérité en face

Avant d'exprimer à une personne ce que vous ressentez envers elle, vous devez connaître la nature de votre sentiment. Vous devez regarder la vérité en face avant de pouvoir la communiquer à une autre personne. Vous étiez certainement en contact avec vos émotions quand vous étiez jeune, avant d'apprendre à être «sage» et à les étouffer ou les cacher. Pour reprendre contact avec vos sentiments au jour le jour, surtout si une situation ou une personne vous met mal à l'aise, ne vous demandez pas «Qu'est-ce que j'en *pense*?», mais plutôt «Qu'est-ce que je *ressens* à propos de cette personne ou de cette situation?» Si la colère vous étouffe, il est bon de la relâcher en marchant d'un bon pas, par exemple, ou en faisant du jogging ou toute autre activité physique. Cela vous soulagera temporairement, mais rien ne changera tant que vous n'aurez pas libéré la composante émotionnelle et modifié votre façon de penser. Si vous faites toujours passer les sentiments des autres avant les vôtres et en éprouvez du ressentiment, demandez-vous pendant deux semaines, quelle que soit la situation, «Est-ce cela qui est le mieux pour *moi*?» Vos réponses risquent de vous étonner!

❦ *J'écoute mes sentiments et les respecte.* ❦

Si vous vous sentez blessé, évitez de blâmer

Si vous êtes en colère ou contrarié, cela vous déroute peut-être plus qu'autre chose. Nos sentiments les plus profonds sont souvent provoqués par les êtres qui sont proches de nous ou que nous côtoyons chaque jour au travail. Vous vous sentez donc mal et trouvez la situation extrêmement malaisée. Même lorsque vous êtes loin de la personne, elle occupe une grande part de vos pensées.

Il se peut que vous soyez en colère au point d'avoir presque envie de tuer l'autre. Vous avez beau prétendre que tout va bien entre vous et feindre l'indifférence, il n'en est rien! Quand une de nos relations est perturbée, mieux vaut regarder la vérité en face, car de toute façon, cela déteint toujours sur nous. Nos pensées sont prises dans un tourbillon émotionnel tandis que nous ressassons la situation et son injustice. Nous essayons de ne pas penser à la personne, mais c'est peine perdue: toutes nos pensées et émotions tournent autour d'elle! S'il s'agit d'un collègue de travail, vous aurez beau jurer de ne plus y penser jusqu'au lendemain, qui occupe vos pensées dès l'instant où vous quittez le bureau et pendant la majeure partie de la soirée? C'est votre collègue de travail.

Lorsque vous êtes contrarié, il est important de reconnaître ce que vous ressentez intérieurement, qu'il s'agisse de colère, de tristesse, de peur ou de jalousie. Tout en vous détendant et en inspirant profondément, laissez peu à peu vos émotions se transformer.

Comme nos émotions changent constamment, vous vous sentirez mieux très bientôt. Vous pouvez vous aider en vous détendant et en vous permettant de ressentir vos émotions. Inutile de prétendre que vous ne ressentez rien. Refouler sans cesse nos émotions est épuisant et peut même nous rendre malades. Peut-être cherchez-vous des façons de rendre la pareille à la personne qui vous a blessé. Cette première réaction est naturelle. Vous fomentez votre revanche, vous imaginez ce qui pourrait vous soulager en prétendant que votre seul souci est de rétablir la justice. À ce stade-ci, votre paix mentale n'entre pas en ligne de compte. La colère et le ressentiment qui vous animent aggravent votre état d'esprit et accaparent vos pensées, votre temps et votre énergie. Que pouvez-vous faire dans ce cas?

Si vous voulez vraiment passer à travers cet épisode, vous devez être disposé à modifier vos sentiments, car même si vous ne deviez jamais revoir cette ou ces personnes, le poids du blâme vous accablera tant que vous ne vous en débarrasserez pas. Il est particulièrement difficile de chasser son ressentiment quand tout le monde nous donne raison. Il peut être utile de vous rappeler les occasions où vous-même n'avez pas été très aimant, obligeant ou prévenant envers quelqu'un. En réfléchissant à ces occasions, vous comprendrez que vous n'étiez pas très fier de vous. Il se peut que vous ayez été préoccupé par un problème, que vous vous soyez querellé avec un être cher ou que vous ayez momentanément perdu confiance en vous. Quand nous parvenons tout juste à nous occuper de l'essentiel, nous nous conduisons parfois d'une manière tout à fait déplacée voire même cruelle, surtout si, au fond, nous tremblons de peur. Cette considération peut vous aider, car la personne qui s'est mal conduite envers vous se trouve peut-être dans ce cas. En règle générale cependant, sachez que plus une personne se montre ou s'est montrée odieuse, plus elle est perturbée psychologiquement. Cela est particulièrement vrai si elle arbore un visage froid, hostile et imperturbable.

Votre seule façon de recouvrer la paix de l'esprit, ou ce qui vous apparaît comme votre santé mentale, réside dans votre volonté de vous libérer en chassant ces offenses de votre cœur. Ce faisant, vous vous sentirez plus léger et vous verrez que vous laissez peu à peu tomber votre ressentiment, augmentant ainsi votre sensation de bien-être.

❦ *Je décide maintenant de me sentir en paix.* ❦

Reconnaissez les sentiments qui vous appartiennent

Observez l'influence qu'exercent sur vous les sentiments et les émotions des autres. On dirait presque que vous «attrapez» leur colère ou leur tristesse. Cela est fréquent chez les jeunes enfants qui «absorbent» les émotions des autres. Rappelez-vous consciemment que ces sentiments ne vous appartiennent pas et chassez-les. Repoussez cette énergie négative. Faites le tour du pâté. Reportez votre attention sur vous-même et sur les tâches qui vous attendent.

Il est important que vous reconnaissiez vos propres sentiments et que vous les appréciiez, ou, s'ils sont négatifs, que vous vous détendiez et les laissiez passer et se transformer. Plus vous intégrerez les sentiments qui vous dérangent au lieu de les refouler, plus vous vous estimerez et pourrez vous concentrer sur les tâches qui vous tiennent à cœur.

Nous traversons tous des périodes où nous nous sentons déroutés et avons l'impression de perdre notre temps, et de gaspiller notre énergie et notre argent. Cela peut être particulièrement contrariant si un projet nous tient à cœur et que nous nous sommes laissés distraire et absorber par des problèmes qui ne nous concernent pas du tout. Si cela vous arrive, détournez énergiquement votre attention des problèmes des autres ou des situations auxquelles vous ne voulez consacrer ni temps ni effort, et reportez-la sur vos propres espoirs et rêves. Cela n'est pas facile lorsqu'on se sent victime d'une injustice et qu'on désire redresser la situation, ou lorsque l'on veut se protéger et se défendre. Voyez tout de même si vous pouvez le faire sans vous laisser accaparer davantage. Évitez de vous blâmer pour avoir consacré autant de temps, d'énergie ou d'argent à la situation.

Il est facile, avec du recul, de voir que nous aurions pu agir différemment et nous consacrer aux tâches qui nous importent; pourtant nous faisons toujours de notre mieux à chaque instant. Il est indubitable qu'il existe des êtres désagréables et destructeurs qui essaient méchamment de contrarier ou de blesser les autres. Même si nous savons qu'ils sont perturbés, il n'en reste pas moins qu'avoir affaire à eux demande du temps. Si donc vous vous faites prendre dans une situation comme celle-là, faites ce qu'il faut pour protéger vos droits, mais n'engagez pas vos émotions. Reconnaissez que vous êtes fâché de n'avoir pas agi autrement, puis chassez votre colère. Détendez-vous et attelez-vous aux tâches qui vous tiennent à cœur.

❦ *Je chasse les émotions que je ne désire pas ressentir.* ❦

Réduisez la peur et la panique

Si vous avez peur de ce que l'avenir vous réserve, si vous appréhendez un événement ou une rencontre particulière, ou paniquez devant une situation, vous pouvez retrouver votre estime de vous-même et vous recentrer. Vous devez d'abord vous détendre et accepter de ressentir votre peur. Alors seulement, elle commencera à se déplacer à travers vous. Sentez se dissiper votre courage et votre peur. Puis rappelez-vous que vous n'êtes pas en danger et que vous saurez vous débrouiller dans la situation en question ou avec la personne concernée. Déterminez ensuite les mesures à prendre ou les propos à tenir pour obtenir le résultat désiré. Décidez si vous voulez agir maintenant et soyez honnête. Si c'est une tâche qui exige beaucoup de temps et d'énergie et qu'un projet important vous occupe en ce moment, vous pouvez décider de la remettre à plus tard, mais assurez-vous que vous ne le faites pas par peur. Voyez quelles personnes pourraient vous appuyer. Puis faites le premier pas. Dès que vous agirez, votre peur s'atténuera.

Prenez soin de vous-même

En période de crise affective, faites attention à vous et prenez soin de votre corps: surveillez votre alimentation, prenez l'air, faites de l'exercice et détendez-vous. En outre, confiez-vous aux amis et aux membres de votre famille qui vous aiment et vous appuient. Pensez aux activités qui vous feraient plaisir, à celles qui vous tiennent à cœur et qui peuvent vous aider à atteindre votre but. Suivez la ligne de conduite que vous avez établie. Envisagez un avenir joyeux et rempli de tout ce que vous pouvez souhaiter de bon pour vous-même. Trouvez du réconfort au milieu des épreuves apparentes. Si vous avez l'impression que le ciel vous est tombé sur la tête, détendez-vous et suivez votre guide intérieur. Au besoin, remettez délibérément toute décision à plus tard. Demeurez centré et ne vous laissez pas happer par le désir de blâmer quelqu'un d'autre. Faites ce qui est le mieux pour vous, tout en demeurant heureux. Faites ce qu'il faut, s'il y a lieu, pour redresser la situation. Concentrez-vous sur les tâches qui vous importent. Entourez-vous d'amis positifs qui reconnaîtront vos sentiments tout en vous rappelant gentiment d'entretenir des pensées constructives.

Vous choisissez vos sentiments

Certains s'étonnent d'entendre que l'on peut choisir ses émotions et les transformer. Se contenter d'espérer que l'on se sentira mieux bientôt ou tenter de sortir subitement de sa mélancolie est aussi inefficace que d'essayer de refouler ses sentiments déplaisants pour s'accrocher désespérément à ceux que l'on désire. Si vous prenez la peine de ressentir pleinement vos émotions, elles passeront et se transformeront. Supposons, par exemple, que vous n'avez rien d'emballant à faire en perspective, vous vous mettez à broyer du noir. Or, il suffit que l'on vous propose une activité excitante un peu plus tard dans la journée pour que vos émotions se transforment sur-le-champ. Vous vous sentez revivre et retrouvez votre enthousiasme. Cela montre avec quelle célérité nos émotions peuvent se transformer.

Vous ne recevrez cependant pas toujours une proposition attrayante dans vos moments de déprime. C'est pourquoi vous devez apprendre à provoquer ce changement émotionnel en adoptant des pensées positives et en imaginant une issue plus passionnante ou agréable. Vous pouvez aussi améliorer votre état d'esprit en évoquant des expériences plaisantes vécues dans le passé.

En modifiant vos pensées déprimantes, vous pouvez métamorphoser vos sentiments. Si vous êtes particulièrement déprimé, écrivez vos pensées négatives. Pas étonnant que vous soyez déprimé —

on le serait à moins! Reformulez ces pensées sous une forme plus constructive. Vous vous sentirez indubitablement mieux. Répétez ce procédé jusqu'à ce que vous ayez retrouvé votre joie de vivre. Essayez cet exercice, surtout si vous n'en avez pas envie — son efficacité vous étonnera!

Vous êtes le seul artisan de votre bonheur

Pour jouir d'une saine estime de vous-même, vous devez comprendre que personne d'autre que vous n'est responsable de votre bonheur. Vous êtes indépendant et responsable de vous-même. Malgré votre interdépendance avec les autres, vous êtes responsable de votre bien-être et de votre bonheur. Sachez que si vous vous fiez à votre intuition, vous ferez automatiquement ce qui est le mieux pour vous en ce qui touche votre travail, votre santé, vos relations avec autrui et votre foyer. Entre autres choses, vous consulterez les médecins appropriés ou solliciterez les conseils nécessaires au sujet d'un aspect précis de votre travail.

Nous avons tendance à dépendre des autres pour nous sentir bien physiquement, mentalement ou émotivement, mais à vrai dire, c'est à nous qu'incombe cette responsabilité. Bien qu'il soit important de tenir compte des conseils et des informations d'autrui, vous seul savez ce qui est le mieux pour vous ou pouvez juger si un conseil est pertinent pour vous en tant qu'individu unique.

Bien qu'il vous faille identifier les pensées et attitudes qui sont défavorables à votre estime de vous-même ou à votre vie et reconnaître vos sentiments afin de pouvoir les laisser passer, les pensées tristes ou hostiles vous recouvrent comme un linceul, freinent vos progrès et détruisent votre amour-propre. Une fois que vous aurez pris la décision d'être heureux, vous pouvez vous aider de toutes sortes de façons, en évitant de vous épuiser et en équilibrant, avec le soutien des autres, vos moments d'activité et de détente.

Par-dessus tout, vous pouvez consolider votre opinion de vous-même et d'autrui en vous respectant et en respectant les autres, et en cessant de vous blâmer et de blâmer les autres. Car nous sommes heureux quand nous nous fions à notre intuition pour agir d'une manière juste et qui nous convient, quand nous adoptons une conduite responsable et honnête. Mieux vous vous connaîtrez vous-même, plus vous serez conscient des choix qui s'offrent à vous. Les décisions inspirées par l'amour et le désir de grandir conduisent au bonheur. Votre bonheur est relié à votre raison d'être et à votre conviction d'avoir une mission importante à remplir auprès de la société. Vous pouvez faire confiance, non pas au sort ou au destin, mais aux répercussions de vos justes pensées et actions.

❦ *Je décide d'être heureux.* ❦

Cible personnelle

METTEZ VOS ÉMOTIONS À VOTRE SERVICE

1. Pendant les deux prochaines semaines, lorsque vous vous sentirez troublé, demandez-vous: «Qu'est-ce que je ressens à propos de ceci?» Si vous faites toujours passer les autres avant vous, demandez-vous dans différentes situations: «Qu'est-ce qui est le mieux pour moi?» Écrivez vos réponses.

2. Décrivez les émotions que vous voulez ressentir. Sur quoi voulez-vous concentrer votre attention? En prenant conscience de ces émotions et en les gardant en mémoire, vous transformerez votre atmosphère émotionnelle.

3. Prenez conscience de la façon dont vos émotions se transmuent en présence de certaines personnes et prenez-en note. Par exemple, il se peut que votre humeur s'assombrisse en compagnie de personnes très négatives. Par ailleurs, si vous manquez d'énergie, la présence d'une personne enthousiaste et optimiste vous stimulera. Prenez des notes afin d'approfondir votre compréhension.

4. Distinguez vos émotions de celles des autres. Puis faites l'effort conscient de chasser les émotions qui ne vous appartiennent pas. Vous préserverez ainsi la clarté et l'harmonie dans vos relations.

LIBÉREZ-VOUS DU BLÂME

Si vous pensez que vous ne voulez pas gaspiller l'exercice ci-dessous en l'appliquant à une certaine personne, cette personne est sans doute précisément celle qu'il vous faut! Vous voudrez peut-être relire les rubriques intitulées «Si vous vous sentez blessé» ou «Reconnaissez les sentiments qui vous appartiennent» avant de faire l'exercice qui suit. Si plus d'une personne vous vient à l'esprit, commencez par la première.

1. Écrivez le nom de la personne qui vous a contrarié ou blessé.

2. Dressez la liste de vos récriminations au sujet de cette personne, de tout ce qui vous blesse ou vous touche chez elle.

3. Que ressentez-vous en écrivant ceci?

Voulez-vous vous venger ou être libre et heureux? Dans le second cas, prenez la résolution de ne plus blâmer. Gardez votre résolution à l'esprit la prochaine fois que vous penserez à cette personne; votre ressentiment s'atténuera et votre blessure s'estompera.

4. Reportez résolument votre attention sur vous-même. Concentrez-vous sur ce que vous voulez accomplir. Quelle tâche vous tient à cœur? Quelle activité vous rendrait heureux?

Si vous êtes contrarié

1. Décrivez vos sentiments et consignez-les ici.

2. Notez ce que vous pouvez faire pour soulager vos sentiments.

3. Écrivez ci-dessous les pensées les plus constructives qui vous viennent en ce moment.

4. Même si cela vous demande un effort, remarquez quelles tâches requièrent votre attention. Qu'est-ce qui compte pour vous? Que pouvez-vous faire afin de vous sentir mieux?

Exercice de détente

Dirigez-vous vers un plus grand succès

Entrez dans l'état de détente, de bien-être et de confiance qui vous est familier. Voyez et ressentez comme vous avez l'air bien, à quel point vous êtes calme, mais aussi enthousiaste et plein d'entrain. Remarquez tout ce qui joue déjà en votre faveur, voyez à quel point votre vie est riche en ce moment et le sera dans l'avenir. Imaginez que la colère que vous ressentez à l'égard de telle ou telle personne tombe de vous sous forme de petites flèches et est réduite à néant. Comme vous êtes la meilleure personne sur qui utiliser votre énergie en ce moment, imaginez-vous rayonnant de vitalité, en train d'aller de l'avant. Pensez que toute la puissance des torts qu'on vous a causés vous propulse en avant avec une intensité accrue. Vous atteignez un succès et un bonheur de plus en plus grands. Maintenant détendez-vous complètement pendant quelques minutes. Puis ouvrez doucement les yeux.

4

Votre intuition

Écoutez-vous

Dans les moments éprouvants, nous nous demandons souvent ce qu'il y a de mieux à faire pour nous. Il nous arrive de tourner littéralement en rond en essayant de déterminer la conduite à adopter. En fait, les réponses concernant ce que nous devons et voulons savoir se trouvent en nous-mêmes et c'est en écoutant notre intuition que nous pouvons y accéder. Certes, il y a des moments où vous aurez besoin de renseignements additionnels ou de conseils juridiques, par exemple, mais pour ce qui est des questions que vous vous posez constamment — «Quel est le prochain pas à faire dans cette situation?», «Quelle sorte de rapports est-ce que je désire vraiment établir avec cette personne?» ou «Quelle conduite s'impose dans ce cas-ci?» — c'est dans votre for intérieur que vous trouverez les réponses. Cependant, vous avez beau répéter «Si seulement je savais quoi faire», vous êtes tellement occupé et stressé que vous n'avez jamais la patience d'attendre les réponses que pourrait vous souffler votre intuition.

Votre intuition est une partie essentielle de votre estime de vous-même. Elle vous indique ce qui est le mieux pour vous en tant qu'être humain unique. Ce qui est le mieux pour une autre personne ne l'est pas nécessairement pour vous. Votre intuition est une voix intérieure qui vous guide, fait de vous un être spécial et donne de la valeur à votre vie. Sans elle, vous gaspillez beaucoup d'énergie, car c'est comme si vous avanciez sans destination précise ni lumière pour vous guider. Au début, c'est sans doute pendant vos moments de détente, alors que vous êtes mentalement et physiquement plus calme, que votre intuition vous parlera le plus clairement. Au bout de quelques semaines, si vous prenez l'habitude de vous arrêter et de vous détendre, vous serez plus souvent en contact avec votre intuition pendant la journée.

❦ Quand je me fie à mon intuition,
je sais ce qui est bon pour moi. ❦

Reconnaissez votre intuition

Il vous est peut-être déjà arrivé de réussir dans une entreprise après vous être laissé guider par votre intuition. De même, vous avez peut-être eu conscience de votre intuition un jour où, ayant renoncé à résoudre un problème, vous êtes passé à autre chose, et plus tard, la solution s'est présentée à vous comme par magie. Toutefois, cette façon de résoudre les problèmes au petit bonheur prend parfois beaucoup de temps. En consultant votre intuition de façon plus systématique, vous obtiendrez un plus grand nombre de résultats et de réponses. Il est plus difficile d'écouter son intuition lorsque l'on est tendu mentalement et physiquement. C'est pourquoi vous avez intérêt à vous détendre et à chasser vos préoccupations. Si vous faites cela régulièrement, vous vous sentirez plus calme et plus centré. Des solutions à des questions personnelles que vous traînez depuis un certain temps vous viendront à l'esprit. La plupart d'entre nous doivent d'abord prendre l'habitude de se détendre et de se calmer.

Votre intuition est toujours compatissante envers vous et envers les autres. Elle ne vous poussera jamais à mener plus loin qu'il ne faut un rapport avec une personne ou une entreprise. Grâce à elle, vous aurez le sentiment de faire «ce qui est juste pour vous». Vous éprouverez également une sensation physique de bien-être. Bien que votre intuition puisse parfois vous suggérer une mesure inhabituelle, celle-ci se révélera souvent très pratique.

Employez votre temps de façon judicieuse

Dès que vous apprendrez à détendre votre corps et votre esprit, il vous sera de plus en plus facile de prendre conscience de ce qui est bon pour vous. De prime abord, il se peut que vous ne reconnaissiez pas la réponse ou que celle-ci vous vienne plus tard. À divers moments de la journée, tout en poursuivant vos activités, vous pouvez apprendre à vous centrer et à vous demander: «Que devrais-je faire maintenant?» ou à vous réorganiser lorsque vous vous sentez décontenancé ou avez l'impression de perdre votre temps. Écouter son intuition est un merveilleux outil de gestion du temps. Votre intuition est la clé de ce qui est bon pour vous en tant que personne unique.

❦ *Plus j'écoute mon intuition,*
mieux j'organise mon temps et mon énergie. ❦

Vous pouvez vous faire confiance

Demandez-vous ce que vous voulez savoir et écoutez les réponses. Vous n'obtiendrez pas de réponses détaillées pour des années à venir, car cela serait contraire à la façon dont la vie évolue, se transforme et passe. Ces réponses seront toutefois suffisantes pour vous donner la conviction que vous saurez toujours quelle conduite adopter. Vous serez guidé dans chacun de vos pas. À certains moments, votre intuition vous conseillera d'attendre et de ne rien faire.

Si vous vous fiez à votre intuition et agissez en conséquence, vous serez moins porté à accomplir des gestes qui ne vous respectent pas et constituent un manque de respect envers autrui. Votre intuition peut vous empêcher de dire oui quand vous pensez non et de dire non quand vous pensez oui. Elle vous mettra en contact avec votre raison d'être et avec ce qui vous tient à cœur. Cela se révélera à vous progressivement.

Au début, si vous écoutez votre intuition, vous aurez peut-être l'impression que c'est votre peur ou même vos préjugés qui vous parlent. Afin de faire la distinction entre la peur et l'intuition, demandez-vous: «Que ferais-je si je n'étais pas aussi effrayé?» Inutile toutefois de vous pousser à faire plus que ce qui vous semble de circonstance. Comme, de toute façon, vous éprouverez toujours une certaine peur, contentez-vous d'aller de l'avant avec vos projets.

❦ *J'ai la conviction que je saurai quoi dire et quoi faire en toutes circonstances.* ❦

Développez votre intuition

C'est en l'identifiant et surtout en l'utilisant que vous développerez votre intuition. Elle vous parle déjà à travers vos pressentiments, lorsque le téléphone sonne et que vous devinez qui est au bout du fil ou lorsque vous pensez à un ami et découvrez plus tard qu'il pensait aussi à vous. Apprenez à vous calmer et à écouter votre intuition chaque jour, et vous établirez avec elle un lien qui vous facilitera la vie dans les situations pressantes.

Notre intuition est à notre service mais mieux vaut l'utiliser avec réserve en ce qui concerne ce que les autres «devraient» faire. De même, si quelqu'un exige une explication — surtout si vous savez que vos motifs pourraient être suspects ou ne sont pas très bien mûris — rien ne sert de prétendre que vous vous êtes fié à votre intuition!

Déterminez vos objectifs

Il est important que vous déterminiez vos objectifs en faisant appel à votre intuition. De cette façon, ils vous conviendront parfaitement, et vous passerez à l'action au moment opportun. S'il est important de viser des buts clairs et précis, il n'est pas moins essentiel de vous accorder une certaine liberté d'action en ce qui touche la façon de les atteindre. Vous devez vous fixer des buts, tant à long terme qu'à court terme. Concentrez-vous sur eux tout en demeurant flexible. Vous découvrirez de nouveaux procédés et ferez preuve d'une plus grande créativité. Au travail, cela peut déboucher sur la création de nouveaux produits et services. Utilisée de façon systématique au travail, votre intuition décuplera votre rendement et votre efficacité. De même, les relations sont plus harmonieuses au sein d'un groupe, d'une famille ou d'une équipe, lorsque leurs membres se laissent guider par leur intuition plutôt que leur ego. Cela vaut mieux pour vous comme pour les autres.

La clé de votre modèle de perfection intérieur

Comme les graines qui produisent des fleurs et des fruits, nous possédons tous un modèle de perfection à l'intérieur de nous-même. Ce modèle est unique et propre à chaque individu. Il serait tout à fait impensable qu'une personne puisse suivre le schéma de quelqu'un d'autre. Nous sommes naturellement plus heureux et comblé lorsque nous suivons ce qui se trouve être la manifestation extérieure parfaite de notre modèle intérieur. Comment peut-on arriver à connaître ce schéma intérieur? Évidemment, comme chaque personne est unique et spéciale, nul ne peut nous décrire notre modèle. Seule notre intuition peut nous donner accès à cet aspect de nous-même.

Nos rêveries récurrentes peuvent nous fournir des indices, surtout lorsque nous nous imaginons en train d'accomplir un travail qui nous plairait ou de rendre service aux autres. Quels rêves reviennent le plus souvent dans vos pensées? Ne renferment-ils pas le germe de votre potentiel actualisé, de ce que vous aimeriez le plus faire?

Parfois, nous voyons quelqu'un faire quelque chose et, tout en sachant fort bien que l'on ne peut imiter personne, nous avons très envie de faire la même chose ou une chose similaire. Faites confiance à cette certitude intérieure. Nous pouvons aussi revenir à nous-même et à notre modèle intérieur dans nos moments de calme, surtout pour nous familiariser avec notre direction ou notre but dans la vie. Nous pouvons nous poser des questions qui aideront notre modèle de perfection à se révéler, tout en nous rappelant que nous sommes libres d'en déterminer certains aspects. Nous pouvons nous demander: «Quelle tâche me tient vraiment à cœur?», «Comment est-ce que je veux vivre ma vie?», «Qu'est-ce que je veux vraiment accomplir?» Les réponses viendront, graduellement peut-être. Mais il est bon de garder un carnet à portée de la main et d'agir au moment opportun.

Vous remarquerez peu à peu que certaines activités vous stimulent davantage. Commencez à visualiser la vie parfaite, le travail parfait pour vous. Écrivez vos idées. Vous devez à tout prix accorder la priorité à la découverte et à l'épanouissement de votre modèle intérieur et de votre sentiment de direction. Prenez l'habitude d'écouter votre intuition quand vous vous détendez chaque jour et, à d'autres moments de la journée, vous aurez plus de facilité à vous arrêter et à reprendre contact avec vous-même. Quand on connaît avec certitude la direction et le but de sa vie, beaucoup d'autres aspects tombent alors en place.

Cible personnelle et exercices de détente

Écoutez votre intuition

Détendez-vous complètement, puis ouvrez doucement les yeux. Restez détendu tout en exécutant les exercices ci-dessous.

1. Examinez votre emploi du temps pour demain et demandez-vous s'il est vraiment profitable pour vous. Faites tous les ajustements nécessaires en accord avec votre estime de vous-même et votre intuition.

2. Notez vos rêveries dans un cahier, ainsi que toute activité qui vous met de bonne humeur et vous stimule. Éprouvez-vous autant d'intérêt et d'enthousiasme pour certains de vos projets pratiques? Ce sont ceux-là que vous devriez mettre en œuvre.

3. Écrivez ci-dessous deux questions auxquelles vous aimeriez trouver des réponses. Détendez-vous, en écoutant de la musique par exemple, puis reliez-vous à votre intuition. Celle-ci vous adressera peut-être des suggestions à ce moment-ci ou plus tard. Lorsque vous aurez de nouveau l'esprit alerte, décidez comment vous voulez utiliser cette information, et prenez les mesures qui s'imposent.

Déterminez vos objectifs

1. Il est fort utile, lorsqu'on établit ses objectifs, de suivre des étapes précises et de noter ces objectifs par écrit. Vous procédez sans doute ainsi avant d'aller à l'épicerie, faites-le donc pour votre vie! À un moment où vous vous sentirez détendu et en contact avec votre intuition, examinez les objectifs que vous visez dans la vie. Clarifiez-les de façon aussi détaillée que possible.

2. Déterminez des objectifs précis et écrivez-en les grandes lignes. Fixez-vous un certain nombre de délais. Quelle part de tel ou tel objectif aurez-vous réalisée dans six mois ou un an? Maintenant raccourcissez ce délai. Où en serez-vous dans un mois ou deux? Même si vous visez des objectifs à long terme, vous avez quand même besoin de l'accomplissement régulier de buts à court terme.

3. En considérant vos objectifs, écrivez les pensées qui vous seront les plus utiles et le nom des personnes qui pourraient vous aider à les atteindre. Ensuite, dressez la liste des actions concrètes que vous devrez accomplir.

5

Gérez votre stress, les changements et votre temps

Reconnaissez les moments où vous êtes stressé

Même si les symptômes du stress ont été amplement décrits dans la littérature, votre réaction au stress est unique. Il se peut, par exemple, que vous éprouviez certains malaises physiques ou soyez perturbé émotivement, incapable de vous détendre et épuisé. Vous êtes incapable de penser correctement, votre énergie est dispersée, vous laissez des broutilles vous contrarier, vous êtes inquiet et soupe au lait. Il est tout probable que vous prendrez des décisions peu éclairées parce que vous ne vous arrêtez pas pour vous écouter, pour écouter votre intuition, qui peut vous indiquer ce qu'il y a de mieux à faire pour vous.

Les causes du stress

Les causes du stress sont nombreuses. Nous souffrons de stress quand nous sommes débordés de travail ou cherchons à faire trop, en trop peu de temps, ou encore lorsque nous nous sentons poussés à prendre des décisions que nous n'avons pas encore mûries. Vous rendez-vous compte, cependant, que le plus grand facteur de stress est votre mauvaise opinion de vous-même? Pensez à l'image que vous avez de vous-même et des autres quand vous êtes surchargé, et vous comprendrez pourquoi il en est ainsi. En effet, c'est au milieu de la tourmente que nos pensées les plus destructrices remontent à la surface. Par exemple, dès que vous pensez «je ne vaux pas grand-chose» ou «je ne viendrai jamais à bout de ce travail», votre niveau de stress augmente. En d'autres termes, ce ne sont pas les événements comme tels qui nous stressent le plus, mais bien notre perception de ces événements. Par exemple, si, plutôt que de nous concentrer sur notre incompétence ou sur la lenteur de nos progrès, nous nous félicitions des progrès accomplis, compte tenu des circonstances, nous abaisserions aussitôt notre niveau de stress. Maintenant que vous savez comment rehausser votre estime de vous-même, vous pouvez réduire le niveau de stress dans votre vie.

❦ *Plus je développe mon estime de moi-même,*
plus je diminue le stress dans ma vie. ❦

Si vous n'avez pas encore trouvé votre but dans la vie, cela constitue un autre facteur de stress. Il en est ainsi lorsque vous ignorez à quoi employer vos talents et aptitudes au travail ou dans vos moments de loisir. Si vous ne contrôlez pas votre énergie, cela peut être stressant pour vous et votre entourage, car vous aurez tendance à compter sur les autres pour vous rendre heureux, plutôt que de vous en charger vous-même. En outre, vous serez enclin à blâmer les autres au lieu de vous écouter pour savoir ce que vous devez faire.

Les collègues de travail peu commodes constituent un autre facteur important de stress. Il se peut que vous ayez l'impression de ne pas dominer la situation et que vous vous sentiez impuissant à la modifier. Bien qu'il soit parfois possible de réfréner une conduite déplacée au travail, les manières d'une personne sont souvent plus affligeantes que sa conduite comme telle. Bien que vous puissiez et deviez faire connaître vos exigences, vous ne devez pas vous attendre à ce que la personne change. Votre stratégie vise ici à diminuer votre stress et votre inconfort et à vous empêcher de dissiper votre énergie. Respectez-vous en défendant votre opinion, n'engagez pas vos émotions et concentrez-vous sur vous-même. Si vous sentez, par exemple, que votre patron ne vous respecte pas et ne vous apprécie pas, entretenez des pensées constructives comme «Je fais de l'excellent travail», «Je m'apprécie et m'approuve», «Ma contribution est excellente». En choisissant ces pensées positives quand vous êtes débordé ou que vous vous sentez peu apprécié, vous abaissez votre niveau de stress et augmentez votre estime de vous-même.

Une grande part de ce que nous appelons le stress est constituée d'un mélange de peur et d'inquiétude: inquiétude à propos du passé ou peur de l'avenir. Vous pouvez choisir de penser différemment à propos du passé; ainsi, vos pensées et actions positives du présent constituent la meilleure garantie de votre réussite future. Le changement est l'une des constituantes de la vie et il entraîne souvent l'incertitude. Il ne serait sans doute pas salutaire de connaître l'avenir avec exactitude. Nous vivons dans un univers de possibilités en constante transformation. Même si vous ne possédez pas la sécurité découlant de la connaissance de certains résultats, vous n'avez pas à être stressé, bouleversé ou effrayé. Estimez-vous suffisamment pour comprendre que vous pouvez compter sur vous-même pour savoir ce que vous avez de mieux à faire à chaque instant. De cette façon, vous fortifierez votre sécurité intérieure et pourrez faire face à n'importe quelle situation et en tirer le meilleur parti possible.

❦ *C'est en moi-même que je trouve la vraie sécurité.* ❦

Un mode de vie équilibré

Il peut être salutaire d'équilibrer notre vie en prévision des périodes de stress et de changements subits pendant lesquelles il est possible qu'au moins un de ses aspects, travail ou relations, se métamorphose du jour au lendemain.

À certains moments, vous aurez peut-être besoin de consacrer beaucoup de temps et d'énergie à votre travail, tandis qu'à d'autres, vous éprouverez le besoin de renouer avec des amis ou de passer du temps avec votre famille. Quels que soient vos engagements majeurs, il est important que vous accordiez de l'attention aux autres aspects de votre vie et surtout, que vous preniez soin de votre santé et de votre apparence. Par-dessus tout, réservez-vous des moments, même brefs, pour vous adonner aux activités qui vous plaisent. Cela est crucial pour votre estime de vous-même et décuplera votre énergie et votre enthousiasme à l'égard des aspects de votre vie qui vous pèsent peut-être en ce moment.

Si vous prenez régulièrement le temps de vous détendre, vous vous sentirez plus calme. Il est primordial que vous vous réserviez des moments de tranquillité pour écouter votre intuition et replacer les choses dans leur contexte.

Un cadre, qui subissait un niveau élevé de stress en raison de la lourdeur de sa tâche et du nombre de décisions qui lui incombaient, n'osait pas prendre le temps de se détendre. Mais les choses se détériorèrent au point qu'il n'eut d'autre choix, en dernier recours, que de se ménager des moments de détente. Il fut étonné de constater les changements survenus en lui. Non seulement put-il distinguer plus clairement les tâches qui l'attendaient, mais les perspectives qui s'ouvrirent à lui s'en trouvèrent décuplées. Il découvrit que la détente et l'écoute de soi étaient les meilleurs outils de gestion du temps qu'il connût!

Plus vous vous détendrez et cultiverez une façon constructive de penser, plus il vous sera facile de concentrer votre énergie et d'identifier les mesures à prendre.

❦ *Je crée de l'harmonie dans ma vie.* ❦

Vous pouvez faire face au changement

De nos jours, bien des choses changent, rien ne semble rester constant. Cela peut paraître effrayant quand ce que l'on tenait pour assuré devient incertain: des emplois que nous pensions occuper toute notre vie disparaissent soudainement; des relations que nous croyions éternelles se disloquent. Nous accordons tellement d'importance aux structures extérieures que lorsqu'elles s'effondrent ou que les autres ne répondent pas à nos attentes, nous perdons contenance.

Bien que nous puissions faire notre part, nous ne pouvons pas changer les autres. Si notre bien-être et notre bonheur dépendent de la docilité des autres et du fait que tout doit se passer comme nous le voulons et au moment où nous le voulons, nous serons continuellement déçus. Cela est particulièrement vrai si les personnes en question font partie d'une grande famille ou d'une vaste organisation ayant ses propres priorités. Que cela ne vous empêche pas, toutefois, d'exprimer clairement ce que vous voulez.

Si vous êtes l'initiateur de changements, faites appel à votre intuition pour clarifier et définir précisément ce que vous voulez. Écrivez vos objectifs afin de vous assurer que vos pensées sont constructives, puis préparez-vous à passer à l'action. Vous devrez peut-être persévérer jusqu'à ce que vous ayez opéré les changements voulus. Le cas échéant, vous pouvez faire le nécessaire pour réduire votre niveau de stress et garder votre vie en équilibre. Cela vous stimulera et vous aidera à réaliser les changements que vous souhaitez.

Si ceux-ci touchent d'autres personnes, rappelez-vous qu'elles se sentiront mieux si elles participent au processus. Si ces changements rencontrent de la résistance, au travail par exemple, vous pouvez aider les autres en demeurant calme et rassurant. Tout en étant sincère, mettez l'accent sur les perspectives qu'ouvrira le changement à chacun.

Vous traverserez des périodes critiques

Si des changements surviennent dans votre vie, il se peut que vous vous sentiez impuissant et effrayé. Les changements subits et non désirés peuvent vous plonger dans une situation de crise. Peut-être vous rendez-vous soudain compte que votre emploi ou une relation que vous teniez pour assurée a cessé de l'être. Non seulement vous devez vous accommoder d'une situation que vous n'avez pas choisie et ne désiriez pas, mais encore êtes-vous forcé de renoncer à un travail ou à une personne que vous aimiez vraiment. Tout cela vous bouleverse et vous touche de diverses façons. Il n'est pas rare de nos jours d'avoir le sentiment de se trouver dans une situation de crise. C'est une expérience que bon nombre traversez peut-être ou avez déjà traversée. Je mets l'accent ici sur le terme *traverser*, car même si vous avez l'impression que vous ne passerez jamais au travers, vous y parviendrez sans contredit.

C'est pourquoi il est important de reconnaître vos sentiments. Réservez-vous des moments de solitude pour vous permettre de ressentir votre colère et votre tristesse. Vous pouvez aussi vous livrer à un exercice physique comme la marche rapide, la natation ou le tennis. Cela apaisera vos émotions en libérant la tension physique accumulée en vous. Vous devrez aussi passer à travers ce qui vous fait souffrir et pour cela, cesser de blâmer. En vous occupant de vos émotions au jour le jour, vous réussirez mieux à les intégrer.

Si vous traversez une période de crise affective, prenez conscience du fait que vous risquez d'être distrait, car vous aurez tendance à remâcher votre situation. Aussi, pour éviter toute mésaventure, soyez particulièrement attentif quand vous faites bouillir de l'eau ou traversez la rue. Remarquez où vous rangez vos choses afin de ne pas les égarer. Vous devez vous montrer un peu plus vigilant durant cette période. Traitez-vous aux petits oignons pendant quelque temps.

Prenez soin de vous-même et acceptez le soutien des autres. Il se peut que vous vous sentiez moche physiquement, insomniaque, malade ou incapable de vous détendre. Comme vous avez subi un choc, votre esprit est en émoi, car il essaie de comprendre ce qui se passe, ce qui n'a pas fonctionné. Vous souffrez émotivement tout en ne voyant aucune façon de résoudre la situation ou de l'accepter. Reconnaissez que vous avez besoin de réconfort et laissez vos amis et votre famille vous apporter leur appui. Demandez du soutien, trouvez une façon d'aller de l'avant. Vous possédez au fond de vous le courage nécessaire. Laissez-le se porter à votre secours.

❦ *Je demeure centré même*
au milieu des changements. ❦

Profitez des périodes de changement et de crise pour créer de nouvelles possibilités

Le mot clé à se rappeler en temps de crise est concentration. Concentrez-vous encore et encore sur ce qui vous tient à cœur. Demandez-vous, chaque jour, quelles activités vous feraient plaisir. Elles peuvent être simples, comme de faire une promenade, bavarder avec un ami au téléphone ou prendre un bain relaxant. Faites-le! Concentrez-vous avec courage et détermination sur les tâches qui vous importent vraiment, qui concordent avec votre but dans la vie. Écoutez votre intuition et suivez-la.

À mesure que vous retrouverez votre estime de vous-même, recommencerez à vous apprécier et cesserez d'avoir peur, vous pourrez tenter de saisir les possibilités inhérentes à votre situation du moment. Quand on nous impose des changements brutaux, nous sommes souvent portés à y résister fortement. Il faut certes s'assurer que l'on ne nous force pas à faire quelque chose qui ne nous est pas bénéfique, mais il est bon aussi d'étudier les possibilités que ce changement peut nous offrir.

Bien que cela puisse vous paraître improbable d'entrée de jeu, voyez si le changement projeté ne risque pas d'améliorer votre situation plutôt que de l'empirer, de sorte que vous en ressortiez enrichi d'une certaine façon. Par exemple, vous avez peut-être été licencié, mais vous êtes par le fait même débarrassé d'un emploi que vous détestiez. Vous avez peut-être du mal à faire respecter vos droits en tant que personne, consommateur, locataire ou employé en ce moment, mais vous pourriez aussi vous voir octroyer des droits plus importants qu'auparavant. En tenant compte du potentiel de la situation, voyez comment vous voudriez que les choses s'arrangent. Que voulez-vous vraiment en ce qui touche, par exemple, l'emploi auquel vous aspirez, la façon dont vous voulez être traité? Visualisez la situation. Quelles nouvelles possibilités pouvez-vous créer? Évoquez des pensées constructives, détendez-vous et écoutez votre intuition.

Les changements se produisent souvent pour le mieux et peuvent nous ouvrir toutes sortes de perspectives nouvelles et excitantes: nouvelles rencontres, procédés nouveaux et améliorés, bonheur et satisfaction accrus. Peut-être vous rappelez-vous des changements qu'on vous a imposés et qui se sont révélés positifs à la longue. Par exemple, une femme avait été chassée de son emploi par son associé. Au début, ce changement lui avait déplu et elle s'était sentie impuissante, mais en fin de compte, il la poussa à fonder avec succès sa propre entreprise de relations publiques.

Tout en vous estimant à votre juste valeur, concentrez-vous sur la meilleure issue possible, sur une issue qui vous rendrait heureux et concorderait avec votre but dans la vie; recherchez-en les avantages à court et à long terme. Détendez-vous et remarquez les mesures qui vous viennent à l'esprit et que vous pourriez mettre en œuvre sur-le-champ.

❦ *Je me concentre sur les nouvelles perspectives qui s'offrent à moi et je les reconnais.* ❦

Vous pouvez créer plus de temps

Vous payez-vous du bon temps ou avez-vous plutôt l'impression que vous n'avez pas le temps de vivre? Vous plaignez-vous de toujours manquer de temps? Ce mode de vie semble très répandu de nos jours où presque tout le monde se sent stressé et surchargé. Combien de fois n'entend-on pas les gens dire, ou ne dit-on pas soi-même, «Je manque toujours de temps»? Plus nous le répétons et plus nous nous concentrons sur cette idée, plus elle a tendance à se concrétiser dans notre vie. Souvent nous nous raidissons, nous nous affolons et nous accomplissons beaucoup moins que si nous vaquions calmement à nos occupations. Aussi commencez à vous dire que vous avez amplement le temps!

Même si nos emplois nous tiennent très occupés, nous ne prenons pas le temps de nous demander où nous voulons en venir. Bien des modes de gestion du temps sont inefficaces pour la simple raison que les gens ne sont pas en contact avec leur intuition et ignorent quel serait le meilleur guide pour eux à tel ou tel moment. Laissez votre manque de temps apparent vous inciter à établir vos priorités. Voyez comment vous pouvez organiser votre temps de manière à respecter ces priorités, tout en reconnaissant qu'elles peuvent changer. Si vous écoutez votre intuition, elle vous inspirera des raccourcis, de meilleurs procédés. Même un bref moment de silence et de solitude, que ce soit au travail ou à la maison, peut vous épargner des conflits, des frustrations, du temps et de l'argent. Reliez-vous à votre intuition pour obtenir une vue d'ensemble de la situation ou de la tâche qui vous attend et déterminez la conduite à adopter.

Vous allez dire: «Comment puis-je être calme et détendu quand il y a tant à faire?» Si vous vous arrêtez un moment, vous verrez que vous accomplissez beaucoup moins lorsque vous paniquez et êtes tendu. Parfois, faire une pause est en plein ce qu'il vous faut. Vous savez aussi que, quand vous êtes absorbé par une activité que vous aimez et qui captive votre imagination, vous perdez toute notion du temps; les heures passent sans que vous vous en rendiez compte ou vous abattez un boulot énorme en un laps de temps étonnamment court. Si vous paniquez en présence de vos collègues de travail ou à la maison, votre entourage deviendra tendu et nerveux. Le travail se trouve ralenti, les erreurs se multiplient et tout cela engendre une bonne dose de ressentiment. Si cela vous arrive, calmez-vous et recentrez-vous. Non seulement vous accomplirez davantage, mais l'atmosphère s'allégera.

Songez aux occasions où vous avez accompli des tâches urgentes aux yeux de quelqu'un d'autre ou que vous êtes resté à bavarder avec des collègues ou des amis alors que vous vouliez à tout prix terminer un travail à la maison ou au bureau. Comparez ceci aux moments où vous vous êtes concentré sur la tâche qui vous tenait à cœur et l'avez achevée sans vous laisser distraire. Vous verrez que vous en avez retiré une immense satisfaction.

Parce que vous êtes un individu unique possédant ses propres exigences et ses propres désirs, vous pouvez gérer judicieusement votre temps, en autant que vous fassiez appel à votre intuition pour identifier vos tâches essentielles. Songez-y un peu. Si vous consacrez votre temps à faire ce qu'il y a de mieux pour vous, votre situation s'améliorera très rapidement. Vous pouvez le faire si vous écoutez votre intuition avant d'établir vos objectifs et d'agir.

❦ *J'accomplis davantage lorsque je me détends et me recentre en moi-même.* ❦

Cible personnelle

Maîtrisez votre stress

1. Prenez quelques minutes, tous les deux jours au moins, pour vous détendre consciemment. Il est salutaire de vous réserver un moment de solitude chaque jour même si ce n'est que quelques minutes. Notez la date et l'heure de vos moments de solitude et de détente, afin de pouvoir surveiller toute réduction de votre niveau de stress.

2. Débarrassez votre système de vos émotions! Écrivez vos sentiments, puis cessez de vous blâmer et de blâmer les autres afin de pouvoir utiliser toute votre énergie pour aller de l'avant, tout en vous estimant vous-même. L'exercice physique peut vous aider à intégrer les sentiments qui vous gênent.

3. Même si vous avez parlé de votre situation à plusieurs personnes, voyez si vous pouvez l'écrire sans émotion, en la voyant objectivement comme une situation plutôt que comme une crise bouleversante.

4. Détendez-vous et écoutez votre intuition. Prenez conscience de toute inspiration vous venant à l'esprit concernant les mesures à prendre pour améliorer la situation qui est particulièrement pénible pour vous. Si vous avez été distrait, reportez toute votre attention sur ce qui vous tient à cœur. Cela rehaussera votre moral et votre estime de vous-même, et vous stimulera.

ÉQUILIBREZ VOTRE VIE

1. Observez l'équilibre qui règne dans l'ensemble de votre vie en examinant, par exemple, si ses diverses parties, comme la maison, vos amis, votre travail, votre jardin ou vos moments de solitude, sont telles que vous les voulez. Notez toutes les améliorations ou enrichissements que vous aimeriez y apporter.

2. Voyez quelle mesure concrète vous devez prendre dans chaque domaine. Consignez-les et assignez une date d'exécution à chacune d'elles.

3. Si vous voulez accorder une attention particulière à un domaine de votre vie, écrivez vos objectifs et donnez-vous un délai, l'année prochaine, par exemple. Puis fragmentez ce délai en objectifs à moyen terme de six mois, disons, puis à court terme de trois mois. Précisez aussi vos objectifs du mois prochain. Notez les actions que vous

devez accomplir et ajoutez-y les pensées les plus favorables à votre estime de vous-même.

Gérez le changement

1. En faisant appel à votre intuition, décrivez le changement que vous voulez ou devez apporter, puis écrivez-le sous forme d'objectif.

2. Décrivez vos sentiments concernant ce changement, peur ou excitation.

3. Quelle est votre pensée la plus constructive à l'égard de cette situation?

4. Qui vous aidera à passer à travers ce changement; et à qui accorderez-vous votre appui en cas de besoin?

5. S'il s'agit d'un changement majeur et continu, que ferez-vous pour réduire votre stress et conserver l'équilibre de votre vie? Prenez des notes.

6. En vous servant de votre intuition, déterminez les grandes lignes des étapes que vous devrez suivre.

Profitez du changement pour créer de nouvelles possibilités

Faites cet exercice d'une manière détendue et en écoutant votre intuition.

1. Pouvez-vous trouver des aspects positifs à une situation en transformation, des avantages qu'elle peut présenter pour vous? Écrivez-les.

2. Pouvez-vous utiliser cette situation pour créer de nouvelles possibilités pour vous-même? Quelles dispositions pourriez-vous prendre? Notez-les et prévoyez une date d'exécution.

3. Tout en vous détendant, voyez si vous arrivez à voir la situation dans son ensemble et remarquez s'il y a quoi que ce soit d'autre que vous devriez savoir ou faire. Notez que la réponse peut vous venir maintenant ou plus tard.

Employez votre temps judicieusement

Commencez par vous détendre et soyez ouvert à toute intuition concernant ce que vous voulez accomplir.

1. Lorsque vous tirez des plans, regardez ce que vous voulez accomplir à court terme et à long terme, puis divisez le travail en étapes faciles à réaliser. Demeurez flexible quant à la séquence de vos actions et révisez vos priorités de temps à autre.

2. En songeant à ce que vous projetez de faire demain, détendez-vous, reliez-vous à votre intuition et voyez si vous avez organisé votre temps de la façon la plus judicieuse pour vous. Faites-vous ce qui est important pour vous? Modifiez votre emploi du temps au besoin.

Exercices de détente

Chassez votre stress

Adoptez une position détendue et confortable. Imaginez que la totalité de votre stress et de votre tension quitte votre corps et se dissout, de sorte que votre énergie devient tout à fait calme. Imaginez-vous apaisé, centré et revitalisé. Rappelez-vous que vous possédez la force nécessaire pour surmonter n'importe quelle difficulté. Écoutez votre intuition pour voir en quoi elle peut vous aider. Écoutez-vous, écoutez votre intuition et soyez ouvert à ses réponses. Vous les entendrez peut-être maintenant ou plus tard. Écrivez-les.

Changement et nouvelles perspectives

Après avoir suivi la technique générale de détente, détendez-vous un peu plus et imaginez que vous avez l'air bien et que vous êtes sûr de vous. Envisagez le changement que vous désirez ou imaginez que vous vous accommodez sans difficulté d'un changement imposé. Imaginez que vous faites ce qu'il faut pour passer à travers ce changement et parvenir à une issue bénéfique. Détendez-vous un peu plus — rêvassez — et imaginez un merveilleux résultat. Prenez votre temps. Quand vous serez prêt, ouvrez les yeux doucement et notez toute idée qui vous est venue pendant l'exercice.

Troisième partie

Votre individualité

6

Reconnaissez votre individualité

Croyez en vous-même

Vous soupçonnez sans doute déjà que vous pouvez être votre meilleur ami ou votre pire ennemi. Précisons que votre pire ennemi est le doute de soi et que votre meilleur ami est la confiance en soi. Pouvez-vous croire au meilleur de vous-même, croire que vous êtes capable de donner le meilleur de vous-même et que vous méritez ce qu'il y a de mieux? Croyez-vous que vous pouvez vous consacrer à ce qui vous tient à cœur?

Le facteur décisif en ce qui touche votre capacité d'accomplir quelque chose est votre confiance en vous-même. Un participant à l'un de nos programmes était conscient de posséder les talents et compétences nécessaires pour trouver un meilleur emploi que celui qu'il occupait, mais en entrevue on lui répondait invariablement: «Merci, mais, non merci!» ou «Génial! Mais pas cette fois-ci!» Jusqu'à ce qu'il décide de croire davantage en lui-même. Cela lui donna non seulement une apparence extérieure de confiance, mais encore une véritable conviction intérieure qui le conduisit à l'emploi qu'il voulait vraiment.

Croyez-vous suffisamment en vous-même pour faire ce que vous avez envie de faire? Si vous voulez vraiment accomplir quelque chose, vous devez non seulement prendre les moyens nécessaires, mais aussi cultiver une confiance inébranlable en vous-même plutôt que de vous attendre au pire et de vivre dans la crainte. Cessez de vous critiquer et soyez gentil avec vous-même autant que vous le pouvez. Chassez vos pensées inquiètes et stressantes. Vous êtes une personne unique. Ce qui convient à quelqu'un d'autre n'est pas nécessairement bon pour vous. Aussi, écoutez-vous, entretenez des pensées positives et agissez concrètement. Cela vous aidera à croire en vous-même.

❦ *Je crois en moi-même.* ❦

Quelle que soit la situation ou les circonstances dans lesquelles vous vous trouvez actuellement, commencez par vous apprécier en tant qu'individu. Il se peut que vous deviez vous apprécier davantage pour vous rapprocher du travail qui vous intéresse. Il se peut qu'une relation que vous aviez crue durable se soit transformée ou qu'un emploi que vous teniez pour assuré ait été éliminé. Cela ne signifie pas que vous n'avez plus de valeur; votre valeur demeure inchangée. Il est facile de se décourager dans ces circonstances, mais cela ne mène à rien. Pour sortir de votre abattement, vous devez vous apprécier inconditionnellement. Vous seul pouvez faire cela pour vous-même.

Vous devez vous apprécier délibérément, surtout si vous avez l'impression que votre manque d'amour-propre vous empêche d'avancer. Vous y parviendrez en multipliant les activités qui vous conviennent vraiment, ou en demandant la hausse de salaire que vous savez mériter. Prenez conscience de votre valeur. Vous avez des tas de qualités et de talents uniques. Vous avez appris beaucoup de choses et développé des compétences utiles. Il est important de vous le rappeler et de vous accrocher à l'idée que toutes ces qualités, qui forment votre valeur personnelle, sont toujours présentes en vous. En fait, les épreuves que vous avez traversées les ont peut-être même renforcées. Les malheurs nous enrichissent, ils ne nous appauvrissent pas.

❦ *J'apprécie ma valeur personnelle à chaque instant.* ❦

Soyez vous-même à votre meilleur

Il n'est jamais ni trop tard ni trop tôt pour être celui ou celle que vous voulez être! Pour cela, vous devez cependant préparer le terrain. Cela exige entre autres choses que vous modifiiez vos pensées et vos attitudes. Vous devrez peut-être, par exemple, apprendre à faire des exposés et à surmonter votre peur de parler en public. Comme c'est en grande partie à travers votre travail que vous exprimez votre unicité, vous serez peut-être tenu de suivre une formation ou des cours et d'acquérir une expérience nécessaire.

Quel que soit l'aspect de votre vie que vous souhaitez transformer ou améliorer, il vous faudra modifier vos croyances à propos de vous-même et de ce que vous pouvez faire. Vous transformerez ainsi l'image de vous-même que vous projetez. Vous devrez aussi mener certaines actions concrètes que vous suggérera votre intuition. Au début, elles vous paraîtront forcées et peu naturelles, mais elles n'en seront pas moins judicieuses en regard des changements que vous désirez opérer.

Votre décision de devenir celui ou celle que vous voulez être vous obligera à renoncer à vos vieilles habitudes et à vos vieux modèles de pensée, surtout à votre égard. Si vous vous surprenez à avoir des pensées négatives sur vous-même, corrigez-les aussitôt. Ayez des pensées encourageantes et dites-vous que vous pouvez accomplir quelque chose, que vous savez ce que vous voulez, que vous vous dirigez vers une issue positive. Quand on a confiance en soi, il est plus facile de prendre des mesures utiles et adéquates.

Vous êtes unique et spécial

Dans quelle mesure vous respectez-vous et vous appréciez-vous vraiment? Êtes-vous conscient de votre tendance à vous sous-estimer? De nos jours, une époque dominée par l'informatique et l'affairement, il est facile de se sentir peu important, non reconnu en tant qu'individu, surtout si l'on fait partie d'une vaste organisation ou d'une grande famille. Vous êtes plein de traits, de qualités et d'aptitudes uniques. À vrai dire, vous possédez une immense valeur en tant qu'être humain. Vous n'avez pas besoin de vous comparer aux autres; la fidélité à soi-même est le meilleur mode de vie qui soit. Vous êtes important. Vos besoins et vos désirs sont importants. N'oubliez jamais que vous êtes spécial.

Le développement de l'estime de soi-même repose sur l'appréciation de soi. Il exige que vous vous traitiez avec égards et que vous vous respectiez. Il ne s'agit pas de berner les autres en affichant une confiance que vous êtes loin d'éprouver ni de tenter de faire bonne impression en manquant de sincérité envers vous-même. Une estime de soi authentique exige que l'on s'apprécie et se respecte profondément, et cela est une chose que la plupart des gens doivent apprendre. S'estimer soi-même, c'est aussi apprendre à consulter son intuition et à se laisser guider par elle. Quand on s'estime, ce que l'on veut faire de sa vie est important, de même que la façon dont on emploie son temps et son énergie au jour le jour. On prend le temps de découvrir ce que l'on veut accomplir. On prend les mesures appropriées et on se traite avec ménagement.

Vous possédez de nombreux talents, de nombreuses façons de penser et de faire les choses. La combinaison exacte de ces traits de personnalité fait de vous un être unique et rend toute comparaison inutile. Vous ne pouvez pas dire que les autres valent mieux que vous ou vice versa. Personne ne sera jamais un meilleur vous que vous-même! Nous avons sous les yeux de nombreux exemples de personnes vraiment compétentes qui pourtant ne croient pas en elles-mêmes et ne s'apprécient pas. Même si vous êtes conscient de vos capacités, vous avez besoin de vous estimer pour persévérer dans la réalisation des objectifs qui vous tiennent à cœur. Les gens vraiment brillants ou vraiment stupides comptent pour un nombre minime tandis qu'il existe un tas de gens possédant un niveau de compétence similaire qui ont atteint divers degrés de réussite. La plupart des gens pourraient apprendre à réussir dans un ou plusieurs domaines, selon leur degré d'intérêt et la mesure dans laquelle ils croient en eux-mêmes et s'apprécient. Dans le cadre de nos programmes, nous constatons encore et encore que la confiance et l'estime de soi-même sont des facteurs décisifs de succès — tant du point de vue du lancement d'un projet que de la persévérance dans l'effort.

Une fois que vous croyez suffisamment en vous-même pour vouloir vraiment réussir, vous devez en outre vous imprégner du sentiment de votre valeur personnelle. Il est important que vous vous appréciiez suffisamment pour passer à l'action, tout en nourrissant des pensées positives, afin d'atteindre la réussite à laquelle vous aspirez. Vous êtes plein de mérite et de talents. Estimez-vous suffisamment pour modifier vos pensées et votre comportement, de manière à assurer votre croissance et votre succès.

Vous recelez un profond désir de réaliser votre potentiel, qui est unique. C'est là une part importante de l'estime de soi-même. Vous ne pourrez jamais vous estimer complètement ni être tout à fait heureux si vous n'écoutez pas votre intuition pour savoir ce que vous voulez et pouvez faire. Vous possédez le potentiel nécessaire pour accomplir quelque chose de très spécial dans votre vie. Vous avez la capacité d'exprimer pleinement l'être humain que vous êtes. Quelle chance unique d'être vous-même, d'actualiser votre meilleur potentiel! Songez-y un instant, il n'y aura jamais un autre vous. Vous êtes absolument unique et spécial.

❦ *Je n'oublie jamais que je suis spécial.* ❦

Cible personnelle

CROYEZ EN VOUS-MÊME ET APPRÉCIEZ CE QUE VOUS ÊTES

1. Écrivez trois changements qui apparaîtraient dans votre vie si vous croyiez totalement en vous-même.

2. Fixez-vous trois nouveaux objectifs et écrivez les mesures concrètes que vous devrez prendre pour les réaliser. Rappelez-vous que vous pouvez continuer d'approfondir toutes les idées qui figurent dans votre carnet.

3. Déterminez trois nouveaux comportements que vous pourriez adopter.

4. Décrivez une situation qui se révèle épineuse et qui vous oblige à vous rappeler votre vraie valeur. Celle-ci englobe vos qualités et aptitudes, et en particulier vos traits uniques. Écrivez-les et rappelez-vous-les de temps en temps.

5. Si vous vous appréciez davantage, quelles actions accomplirez-vous et quels aspects de votre vie améliorerez-vous? Décrivez les étapes que vous suivrez.

Exercice de détente

RENFORCEZ VOTRE FOI EN VOUS-MÊME ET EN VOTRE VALEUR PERSONNELLE

Asseyez-vous ou étendez-vous confortablement dans un endroit où vous ne serez pas dérangé. Prenez quelques inspirations profondes et laissez la détente gagner tout votre corps. Tout en vous détendant, chassez vos doutes sur vous-même. Commencez à croire en vous-même. Quel effet cela vous fait-il? Remarquez le bien-être que vous ressentiriez si vous croyiez en vous-même, si vous aviez la conviction de savoir vous y prendre dans n'importe quelle situation. S'écouter soi-même, écouter son intuition, la partie de soi-même qui sait ce qui est le mieux pour nous en tant qu'être humain unique, constitue une partie importante de l'autoappréciation. Ce lien peut vous paraître solide quand vous vous détendez et êtes en contact avec vous-même. Avez-vous une idée de ce que vous voulez vraiment posséder et réaliser dans votre vie? Rappelez-vous quel effet produit ce sentiment de relaxation et de confiance. Pendant la journée, quand vous devenez tendu, vous pouvez vous répéter ceci: «Je crois en moi-même!», «J'ai beaucoup de valeur!»

Quatrième partie

L'estime de soi et les relations interpersonnelles

7

Les relations interpersonnelles

Vous n'étiez pas sans savoir, même avant de lire ce livre, que lorsque vos relations avec autrui sont harmonieuses ou perturbées, cela, plus que toute autre chose peut-être, influe sur votre estime de vous-même. Quand tout va bien dans vos relations personnelles, sociales et professionnelles, vous êtes porté à vous sentir bien et avez bonne opinion de vous-même. Si toutefois vous éprouvez des difficultés dans l'une ou plusieurs de vos relations, il se peut que vous vous sentiez misérable et que votre estime de vous-même en prenne un coup. Comme pratiquement chaque aspect de votre vie vous met en relation avec les autres, votre estime de vous-même au jour le jour est étroitement liée à toutes vos relations. Bref, nos relations — et surtout les plus intimes — sont l'un des chemins qui mènent tant aux grandes joies qu'aux grandes souffrances. Il est naturel de nouer des relations étroites, intimes avec les autres. Elles contribuent à notre bien-être, et la vie n'est pas aussi marrante sans elles!

Que vous soyez marié, séparé, divorcé ou célibataire, que vous ayez de jeunes enfants ou des petits-enfants, ou que vous soyez jeune et que vous démarriez dans la vie, il est donc essentiel que vous vous estimiez vous-même pour nouer des relations aimantes et heureuses.

Les relations feront toujours partie de votre vie, à commencer par votre relation avec vous-même, puis avec les autres — les membres de votre famille, vos parents, votre partenaire amoureux, vos enfants, vos amis, vos collègues, vos clients, vos voisins, les commerçants de votre quartier, les personnes que vous rencontrez dans le cadre de vos activités sociales ou sportives. Vous avez beaucoup à donner dans vos relations avec autrui. Toutefois, il est important que vous établissiez d'abord une relation harmonieuse avec vous-même, en vous estimant à votre juste valeur et en faisant confiance à votre intuition. De cette manière, vous saurez — et cela est important — ce qui est bon pour vous et vous convient à chaque instant.

❦ *Ma bonne opinion de moi-même me permet de nouer des relations agréables.* ❦

Faire face aux relations qui se transforment

Est-ce qu'une de vos relations est en train de se transformer? Nous vivons à une époque où cela est fréquent: les mariages et les relations intimes que l'on croyait éternelles se disloquent ou changent. Il semble qu'un plus grand nombre quittent leurs relations, y compris le mariage, pour en nouer une nouvelle ou rester seuls. Peut-être êtes-vous déprimé à la suite de la rupture de votre mariage ou parce que vous éprouvez des difficultés amoureuses. Si c'est le cas, sachez que même si vous traversez une mauvaise période, vous en sortirez très bientôt. Vous pouvez faire beaucoup pour vous aider.

Vous avez l'impression que vous allez vous effondrer, la douleur a engourdi vos sentiments ou vous êtes furieux et au bord des larmes. C'est le moment de prendre les choses une journée à la fois et de vous détendre le plus possible chaque jour. Reprenez confiance en vous-même. Rappelez-vous que tout est pour le mieux, même si vous souffrez en ce moment. Vous devenez chaque jour de plus en plus fort. C'est le moment de fréquenter les amis qui vous soutiennent et de travailler, seul ou avec un ami, à fortifier votre estime de vous-même. Vous avez besoin de quelque chose ou de quelqu'un qui vous distraira de votre souffrance. Vous ne voulez pas entendre sans cesse les autres vous confirmer qu'une situation ou une personne est odieuse, par exemple.

Il est tentant de se laisser aller à blâmer. Toutefois, cela ne vous mènera à rien et ne fera qu'accentuer votre irritation et vos souffrances. Vous pouvez à la fois amorcer et accélérer le processus qui consiste à passer à travers la douleur du blâme. Comme le *renoncement au blâme* est l'une des leçons les plus importantes et salutaires que l'on puisse apprendre, nous en avons décrit le processus ci-dessous:

- Commencez par regarder la vérité en face: vous êtes blessé dans votre relation avec la personne concernée.
- Ensuite — et mieux vaut faire cet exercice seul —, relevez par écrit tous les comportements et les paroles de cette personne qui ont heurté vos sentiments. Sortez-les de votre système. Écrivez ce que vous ressentez ou avez ressenti après ce qui s'est passé: colère, tristesse, peur. Continuez de respirer d'une manière détendue.
- Maintenant, prenez votre courage à deux mains et ouvrez votre cœur en vous posant la question: «Suis-je disposé à cesser de blâmer cette personne? À laisser tomber mon ressentiment à son égard?» Le blâme est précisément ce qui vous garde lié à elle; votre esprit ne sera pas en paix tant que vous ne renoncerez pas à blâmer. Vous devez au moins avoir la volonté de cesser de blâmer. Dites-vous que vous êtes maintenant prêt à le faire, à larguer votre ressentiment et à ramener la totalité de votre énergie et de votre attention sur votre vie et sur vous-même. Tant que vous attendrez une vengeance, vous n'aurez pas l'esprit en paix! Vous voudrez peut-être affirmer votre intention par écrit: «Je renonce désormais à blâmer... et je suis en paix en ce qui concerne ma relation avec cette personne.»
- Vous devrez répéter cette dernière partie du processus chaque jour, pendant quelque temps, en vous délestant des offenses que l'autre vous a infligées à mesure que vous en prenez conscience et en vous sentant chaque jour de plus en plus léger et joyeux. Que vous côtoyiez cette personne régulièrement ou ne la voyiez jamais, le processus est efficace et essentiel à votre propre libération.
- Si vous entretenez une relation continue avec cette personne, vous voudrez peut-être lui exprimer vos sentiments, vos

besoins, vos désirs et vos attentes. Vous le ferez avec plus de clarté et d'efficacité si vous déchargez d'abord votre cœur des outrages qui l'alourdissent. Prenez soin de vous et adonnez-vous à des activités agréables. Dans la mesure du possible, traitez aussi l'autre personne avec ménagement. Le renoncement au blâme libérera votre énergie, vos émotions et votre attention. Travaillez sur votre estime de vous-même et reportez votre attention sur ce qui vous tient à cœur.

❦ *Je commence à lâcher prise et à passer à travers cette expérience.* ❦

Vous pouvez survivre à une séparation

Il faut un certain temps pour se remettre complètement d'une séparation. Entre temps, dans la mesure du possible et tout en reconnaissant vos sentiments, laissez-vous réconforter, puis reportez sans cesse votre attention sur vous-même et sur les tâches qui vous tiennent à cœur. Concentrez-vous sur les aspects de votre vie que vous avez peut-être négligés — amis, famille, soins corporels — et changez souvent de décor. Éloignez-vous, sinon pour des vacances complètes, du moins pour un week-end ou une journée.

Mieux vaut éviter tout contact avec la personne tant que vous vous sentirez vulnérable, car vous risquez de ne pas obtenir le réconfort et les réponses que vous espérez. Vous devez vous attendre à un «Oui» comme à un «Non». Si une séparation complète est impossible à cause des enfants, tentez quand même de minimiser vos contacts.

Lorsque l'on traverse une passe difficile, il est important de se tourner vers ses amis. Faites appel à eux pour ce qui est des aspects pratiques, pour vous aider à déménager, par exemple. Cela ne veut pas dire que vous ne serez pas assailli par des émotions douloureuses, car vous le serez. Cela vaut beaucoup mieux cependant que de subir les effets à long terme qu'entraînerait toute tentative de repousser ces émotions ou de les refouler.

Si vous vous séparez d'une personne avec laquelle vous viviez, qui a partagé votre quotidien pendant un certain temps, vous ne pouvez manquer d'éprouver un vide, aussi acrimonieuse que soit votre séparation. À ce stade-ci, vous n'êtes pas à même de décider ce qui se passera ou même ce que vous souhaitez pour vous-même. Cependant, les choses finiront par se tasser, et vos pensées et émotions se stabiliseront. Aussi concentrez-vous sur vous-même et sur votre travail, prenez soin de vous, passez du temps avec vos amis et votre famille et laissez-vous réconforter. Ne niez pas votre souffrance émotionnelle, mais n'en faites pas non plus le centre de votre attention. Par dessus-tout, réservez-vous un moment de tranquillité chaque jour. Écoutez votre intuition et recherchez ses conseils et son soutien. Sollicitez son aide, soyez ouvert, et elle viendra. Contentez-vous d'écouter. Écrivez ses conseils et agissez en conséquence.

Si vous vous sentez abattu ou nostalgique en évoquant les projets que vous aviez élaborés ensemble, comme voyager, travailler, prendre des vacances, ou en pensant à l'endroit merveilleux que vous êtes forcé de quitter parce qu'il n'est plus votre chez-vous, prenez votre courage à deux mains. Écoutez votre intuition pour savoir ce qui est le mieux pour vous en ce moment. Ne vous laissez pas berner par l'illusion que d'occasionnels moments de plaisir peuvent compenser les grincements quotidiens d'une relation qui bat de l'aile. Le moment est venu de vous affranchir de vos liens.

❦ *Je suis désormais libre d'aller de l'avant avec ma vie.* ❦

Affronter la solitude

Bien des gens se sentent seuls en ce moment même. Il arrive que nous nous sentions isolés, tristes, déconnectés, qu'il y ait ou non d'autres personnes dans notre vie. Si nous avons l'impression de n'avoir personne avec qui être ouverts et honnêtes, nous pouvons nous sentir seuls, même en étant entourés. Parfois, nous faisons tout pour éviter de reconnaître notre sentiment de solitude: nous dormons de longues heures, nous nous rendons à des événements qui nous intéressent à peine, nous regardons la télévision soir après soir, nous recherchons la compagnie de certaines personnes davantage pour fuir notre solitude que par véritable amitié. Mais la présence des autres n'atténue pas toujours notre sentiment de solitude. Très souvent, si on avait l'habitude d'utiliser ses enfants, son conjoint ou son partenaire pour combler son vide intérieur, on se sent encore plus seul quand on se trouve loin d'eux. Le fait de reconnaître son sentiment ou sa crainte de la solitude permet à ceux-ci de se transformer immédiatement.

Une fois que vous avez reconnu ce sentiment, la première étape consiste à vous demander s'il y a quelque chose qui vous ferait plaisir ou vous réconforterait, plus de temps pour vous détendre, par exemple, ou un confort physique quelconque. Écoutez votre intuition. Vérifiez si une tâche importante requiert votre attention dans votre vie. Vous est-il venu des intuitions, des indices et des idées dont vous n'avez pas tenu compte? N'oubliez jamais que vous êtes spécial, que votre vie est précieuse. Ce que vous voulez est important. Découvrez ce que c'est. Portez votre attention sur *vous-même*. Ceci, loin de vous rendre égoïste, vous empêchera de rechercher constamment l'attention des autres pour combler votre vide intérieur.

Tout en prenant soin de vous-même, voyez ce que vous pouvez offrir aux autres. Par exemple, si vous désirez davantage de cordialité, de soutien et de camaraderie, voyez comment vous pouvez vous donner cela, puis trouvez une façon de l'offrir aux autres. Cherchez un moyen d'aller vers les autres et de vous faire de nouveaux amis, tout en revitalisant vos amitiés établies. Rappelez-vous que plus vous apprécierez votre propre compagnie, plus les autres l'apprécieront aussi!

Vous voudriez être amoureux

Ainsi, vous êtes amoureux! Mais l'objet de votre affection ne semble pas vous retourner ce sentiment. Vous êtes désespéré et votre estime de vous-même faiblit. Que faire? Si vous accordez votre amour et votre attention à une personne qui ne vous les rend pas, ne vous sentez pas personnellement visé: elle est peut-être effrayée, confuse ou déjà mariée! Détendez-vous et félicitez-vous pour vos sentiments passionnés: ils émanent de vous. En étant ouvert, vous vous ouvrez à cette relation ou même à une autre encore meilleure.

Appréciez vos sentiments et exprimez-les s'il y a lieu, car *vous* les ressentez, que ce soit le cas de votre «bien-aimé» ou «bien-aimée», ou non. Tout en les goûtant pleinement, rappelez-vous que vous êtes la personne la plus importante de votre vie. Reportez toute votre énergie sur vous-même. *Obligez-vous* à vous concentrer sur vous-même, sur votre vie et sur ce qui vous tient à cœur et vous rend heureux. Assurez-vous de voir d'autres personnes et d'apprécier leur compagnie. Aussi ardu que cela vous paraisse, soyez prêt à renoncer à l'élu ou l'élue de votre cœur. Pensez plutôt à vous-même. Concentrez-vous totalement sur vous-même et sur votre vie. Si vous chassez cette personne de vos pensées, elle reviendra peut-être vers vous ou quelqu'un de mieux apparaîtra dans votre vie le moment venu.

S'il y a lieu, vous pouvez exprimer vos sentiments à la personne que vous aimez. Ouvrez-lui votre cœur. Vous devez toutefois être bien avec vous-même, quelle que soit sa réaction. Il n'est pas sain de continuer de prodiguer son amour et son attention à quelqu'un qui n'apprécie ni ne désire ces marques d'affection. Déversez-les plutôt là où elles seront les bienvenues.

Il est merveilleux d'avoir un partenaire amoureux, une personne spéciale dans sa vie. Pourtant il y aura des moments où vous n'en aurez pas, des moments où vous serez appelé à concentrer toute votre attention sur votre travail. Vous pouvez vous tourner vers d'autres sources de soutien et d'affection, comme vos amis, votre famille et vos collègues. Il est toujours bon, même si l'on a une relation intime, d'échanger affectivement avec d'autres personnes aussi. Ainsi votre partenaire ne se sent pas obligé d'être tout pour vous et vice versa. Aussi proche que vous soyez de votre partenaire, vous devez quand même poursuivre votre «but» dans la vie. Chaque personne est responsable d'elle-même.

Toutefois, si vous n'êtes pas amoureux en ce moment, vous souhaitez sans doute l'être — à moins que vous en ayez assez de l'amour pour un moment! Tout le monde adore le sentiment de s'apprécier davantage, d'être vivant et d'être aimé qu'engendre une relation amoureuse. Nous aimons tous l'intimité et le plaisir. Toutefois, vous n'avez pas besoin d'attendre une nouvelle relation amoureuse ou une transformation de votre relation actuelle pour ressentir cette étincelle. Prenez conscience de l'amour que vous ressentez dans la vie de tous les jours envers les personnes que vous voyez régulièrement ou à l'occasion. Observez le caractère unique de vos échanges avec vos collègues de travail et vos voisins. Toute la vie devient romantique quand on prend conscience de sa propre unicité et de celle des autres.

❦ *Désormais, je laisse entrer le romantisme dans ma vie.* ❦

Voyez vos relations sous un jour favorable

Il est bon, dans ses relations comme dans les autres domaines, de se concentrer sur ce qui fonctionne bien et sur ce qui nous plaît vraiment. Si vous pensez sans cesse aux traits négatifs d'une personne, ceux-ci vous crèveront les yeux de plus en plus. Ressentir et exprimer son appréciation fait souvent toute la différence du monde. On peut aisément perdre l'habitude d'exprimer son appréciation à la personne que l'on aime. Vous-même savez à quel point vous aimez que l'on vous apprécie, vous approuve et vous dise qu'on vous aime. Les autres aussi l'apprécient. En vous concentrant sur les traits positifs d'une personne, vous lui donnez la chance de les accentuer pour votre propre bénéfice et pour le sien!

Il serait logique, si vous voulez améliorer vos relations et attirer des relations nouvelles et plus agréables, que vous preniez conscience des pensées que vous nourrissez envers vous-mêmes et les relations personnelles en général. Ruminez-vous sans cesse des pensées telles que: «Je suis toujours blessé(e)/abandonné(e)/rejeté(e)», «Les relations nuisent à mon travail», «Les relations sont épuisantes», «On ne peut pas faire confiance aux hommes», «Je ne suis pas attirant(e) pour les femmes (les hommes)», «On ne peut pas faire confiance aux femmes», «Les femmes sont sournoises et se servent des hommes», «Les hommes (les femmes) limitent ma liberté ou mon pouvoir», «Les autres ne me traitent pas avec respect»? Si ces croyances sont profondément ancrées en vous, elles auront tendance à colorer votre expérience. Ainsi, une femme qui pense qu'on ne peut pas se fier aux hommes se sentira personnellement visée si un homme annule ou déplace un rendez-vous parce qu'il est alité en raison d'une grippe!

Il est beaucoup plus sain d'entretenir des pensées positives du genre «Mes relations sont joyeuses et stimulantes», «Je fais confiance aux autres et ils me soutiennent», «Les hommes sont dignes de confiance et me donnent leur appui», «Mes relations sont durables», «Je suis attirant(e)», «Je jouis d'un sentiment d'intimité et de liberté dans mes relations», «Les autres me traitent avec respect», «Les autres m'aiment quand je fais ce qui est le mieux pour moi». Ce genre de pensées ne peut qu'améliorer votre expérience. Comme dans le cas de toute croyance profonde, nous devons sans cesse nous remettre en mémoire que c'est cette expérience que nous désirons vivre désormais. N'est-il pas logique, si l'on veut améliorer une relation nouvelle ou ancienne, d'améliorer ses pensées?

Envisagez avec plaisir les nouvelles rencontres

Prenez d'abord la décision de faire de nouvelles connaissances et soyez ouvert aux rencontres et aux amitiés nouvelles, et à l'idée que vous rencontrerez peut-être ainsi l'élu ou l'élue de votre cœur. Avez-vous l'impression que vous manquez de confiance en vous, que vous vous souciez outre mesure de l'opinion d'autrui? Dans ce cas, travaillez sur votre estime de vous-même. Permettez-vous d'être celui ou celle que vous voulez être: par exemple, une personne rayonnante de santé, attirante ou qui réussit dans toutes ses entreprises, une personne dont on recherche la compagnie et qui est aimée de tous. Comment se comporterait cette personne? Vous n'avez pas besoin de vous créer une toute nouvelle image, même si vous avez envie d'essayer une nouvelle allure. Par contre, si vous savez quels vêtements vous avantagent, portez-les. Élaborez votre nouvelle garde-robe à partir de ce que vous possédez déjà. Assurez-vous de posséder suffisamment de tenues pour votre nouvelle vie sociale!

Tout en vous redisant que vous êtes un être merveilleux, sortez avec calme et confiance et faites de nouvelles connaissances sans vous sentir obligé d'impressionner les personnes que vous rencontrez. Détendez-vous et concentrez votre attention sur elles. Si vous êtes détendu, les autres apprécieront votre compagnie. Et ils vous aimeront encore davantage si vous leur prêtez une oreille attentive!

❦ *Je suis capable de me détendre*
et j'aime être moi-même. ❦

Voyez si vous pouvez prendre l'initiative d'organiser des rencontres avec d'autres personnes. Cela vous sera d'autant plus facile que vous partagerez un intérêt avec elles. Vous devrez peut-être prendre sur vous de téléphoner, d'offrir des suggestions et de lancer des invitations pour démarrer l'affaire, car il se peut que, pour toutes sortes de raisons, les autres n'y arrivent pas. Ils sont peut-être stressés, craignent un rejet de votre part ou sont seulement débordés. Il vous incombera donc de faire des avances à la ou aux personnes avec qui vous voulez passer du temps. Au début, commencez par des activités faciles à organiser: invitez vos amis à prendre le thé ou à déjeuner à l'extérieur plutôt que de leur cuisiner un repas de cinq services! Plus vous vous détendrez, plus votre jovialité naturelle, et non une gaieté forcée, ressortira. Soyez vous-même. Une attitude calme, positive et gaie vous attirera des amis. N'attendez pas que les autres vous invitent pour entrer dans la danse: organisez-la vous-même!

Entretenez vos relations intimes

Toutes les relations, en particulier les relations amoureuses, exigent de l'entretien. Elles exigent que vous acceptiez l'autre personne telle qu'elle est et que vous vous délectiez de sa présence. Vous devez vous sentir en sécurité. Vous devez pouvoir partager des buts importants l'un avec l'autre et être désireux de communiquer d'une manière ouverte et positive. Ce dernier point est essentiel au maintien de l'intimité.

❦ *Je n'oublie pas d'écouter l'autre.* ❦

Les relations dans lesquelles l'amour dure sont celles où existe une certaine intimité, où les partenaires laissent voir leurs véritables sentiments. Ne laissez pas le temps passer sans communiquer avec votre partenaire. Si vous vous tenez mutuellement au courant de vos sentiments respectifs, votre relation demeurera vivante et intime. Tout en veillant à ceci, vous devez aussi vous concentrer sur les traits positifs de votre partenaire. Le ressentiment tue l'amour. Faites-y face en renonçant à blâmer, à juger ou à critiquer l'autre, comme vous le faites peut-être continuellement, à haute voix ou en pensée.

Cela ne veut pas dire que vous ne devriez jamais exposer votre côté vulnérable ni admettre que vous êtes effrayé ou confus. Si vous ne dites pas la vérité aux autres, ils ne peuvent pas entrer en rapport avec le vrai vous. C'est une question d'équilibre. Les autres ne veulent pas non plus vous entendre sans cesse vous plaindre de votre lassitude, de votre nervosité ou de votre irritation par exemple.

Dans une relation intime, vous voulez que votre partenaire se soucie de vos sentiments et se conduise d'une manière qui vous convienne et vous soutienne. Vous pouvez discuter de certains points à améliorer afin de vous sentir mutuellement soutenus et comblés.

Cible personnelle

Avant de faire la série d'exercices qui suit, vous voudrez peut-être terminer ou reprendre l'exercice sur le renoncement au blâme décrit à la page 79.

SURMONTER LES DIFFICULTÉS RELATIONNELLES

1. À un certain moment, lorsque vous aurez reconnu tous vos sentiments, il suffira peut-être que vous vous en débarrassiez en les couchant sur papier et en les biffant l'un après l'autre. (Vous voudrez peut-être reprendre l'exercice «Libérez-vous du blâme» de la page 42.)

2. Si un changement inattendu — et non désiré — est survenu dans votre relation, traitez-vous comme si vous aviez reçu un choc physique, mental et affectif, car il se peut que vous soyez confus ou hébété. Notez par écrit tout ce que vous pouvez alors faire pour vous aider.

3. Ménagez-vous des moments de tranquillité. Quand pouvez-vous vous les accorder? Nommez une activité qui pourrait vous aider à retrouver votre équilibre.

4. Lesquels, parmi vos amis et les membres de votre famille (autres que la personne avec qui vous éprouvez des difficultés), pourraient vous apporter le meilleur appui en ce moment?

5. Détournez résolument votre attention de votre relation et reportez-la sur des activités que vous aimez, qui vous rendent heureux et soutiennent votre but dans la vie. Énumérez ces activités et cochez-les à mesure que vous les pratiquez.

Des pensées positives à l'égard de ses relations

1. Écrivez quelques-unes de vos pensées négatives concernant vos relations.

Maintenant transformez ces pensées négatives en pensées positives. Par exemple: «Je rencontre des hommes intelligents, attirants et positifs!» «Les femmes m'écoutent et me laissent faire ce que je veux», «Les relations sont amusantes!» Répétez ces pensées en imaginant ce que vous ressentiriez si elles se concrétisaient.

2. Quand vous vous surprenez à avoir des pensées négatives ou à tenir des propos négatifs, modifiez-les sur-le-champ! Écrivez vos nouvelles pensées positives ci-dessous.

Ce que j'attends d'une relation

Écrivez ce que vous attendez vraiment d'une relation sans penser à personne en particulier. Mentionnez quelques-unes des qualités que doit posséder votre partenaire; ce que vous aimeriez que cette relation vous apporte. Par exemple, un foyer à deux, des enfants. Que voulez vous pour vous-même, indépendamment de cette relation? Par exemple, voir vos propres amis, bâtir votre carrière.

Exercices de détente

Éliminez la peur

Suivez votre technique de détente habituelle. Sentez votre blessure et votre peur se dissoudre sans tenter de les analyser. Sans chercher à comprendre en détail ce que vous ferez, demandez seulement de l'aide, du soutien et des conseils. Ressentez le lien avec votre intuition qui vous aidera à aller courageusement de l'avant.

Une relation merveilleuse

Après avoir suivi les étapes de la détente, imaginez que votre vie devient plus agréable. Écoutez votre intuition pour savoir ce que vous attendez vraiment d'une relation. Détendez-vous et laissez-vous aller à imaginer ce qui serait merveilleux pour vous. Décrivez-le ci-dessous.

8

Communication, critiques et conflits

La communication constructive

Une communication paisible et ouverte fait beaucoup pour garder nos relations cordiales et aimantes. S'ouvrir à l'autre de ce qui nous tient à cœur et nous fait plaisir favorise l'intimité dans une relation. Si vous voulez discuter d'un problème avec une personne, mieux vaut le faire au moment où il surgit, plutôt que de le laisser traîner en longueur et provoquer de nouveaux malentendus.

Chaque personne voit la vie à sa façon. Ne supposez pas que les autres embrassent votre point de vue ou comprennent ce que vous ressentez ou ce que vous voulez. Dites-le-leur sans toutefois vous attendre à ce qu'ils se rallient aussitôt (ou un jour) à votre point de vue. Soyez prêt à écouter leurs opinions et leurs sentiments. Déterminez comment vous pouvez vous aider mutuellement à trouver une solution, sans que l'un de vous soit forcé d'agir contre son gré.

Même si vous n'avez pas besoin de savoir exactement pourquoi vous éprouvez tel ou tel sentiment, rappelez-vous que vous n'êtes pas toujours bouleversé pour la raison que vous pensez. Très souvent, les propos ou actions des autres rouvrent de vieilles blessures en nous.

Quand on se sent blessé ou exaspéré, on est facilement porté — surtout avec les êtres qui nous sont proches — à crier, à piquer une colère et à lancer des paroles que nous regrettons par la suite, mais qui restent parfois gravées dans le cœur des autres pour longtemps. Même s'il vaut mieux intégrer vos émotions et les exprimer à mesure qu'elles se présentent, il arrive qu'elles s'accumulent et qu'une petite discussion dégénère en véhémente querelle. Or, tout le monde sait que deux personnes enragées ne résoudront rien!

Pour éviter les disputes, ou parce que vous vous sentez vulnérable, vous essayez peut-être de refouler les sentiments ou les émotions que vous craignez de trouver pénibles. Refouler nos sentiments nous empêche de les laisser circuler, de les laisser passer à travers nous et de les laisser se transformer; ils ont alors tendance à rester bloqués en nous. Reconnaissez vos sentiments, du moins pour vous-même, et ils se transformeront et passeront. Souvent aussi, par loyauté — ou parce que nous avons l'impression d'être unis envers et contre tous — nous taisons nos véritables sentiments. Notre partenaire est notre allié et nous craignons de perdre son affection. Il est important que nous respections nos sentiments les plus intimes ainsi que ceux de notre partenaire.

Concentrez-vous toujours sur les côtés positifs de votre relation, sur ce qui est bon et agréable. Renoncez au blâme jour après jour. Dans une relation intime surtout, traitez-vous et traitez votre partenaire avec gentillesse.

La bonne volonté favorise la communication

La bonne volonté constitue un élément primordial de tout échange, surtout quand on craint une réaction négative de la part de son interlocuteur. Le respect est l'une des qualités auxquelles les humains tiennent le plus. Si vous n'êtes pas d'accord avec une personne ou désirez lui transmettre un message qu'elle n'est peut-être pas prête à entendre, vous obtiendrez sans doute un meilleur résultat en lui témoignant du respect.

Si la colère vous étouffe, mieux vaut l'intégrer que la refouler ou l'exprimer d'une manière tout à fait désordonnée, car vous pourriez le regretter par la suite. Dans certains cas, vous auriez intérêt à utiliser la technique qui consiste à débarrasser votre système des offenses qu'on vous a faites et à renoncer au blâme (p. 83). À d'autres moments, une courte promenade autour du pâté de maisons peut suffire. Rappelez-vous qu'il vaut toujours mieux, pour votre estime de vous-même, viser la paix de l'esprit plutôt que la revanche. Ainsi lorsque vous envisagez une rencontre, vous pouvez lui donner le ton en émettant à l'avance des pensées bienveillantes à l'égard de votre interlocuteur.

❦ *Je me respecte et je respecte les autres dans tous mes échanges.* ❦

Si vous vous laissez mener par le bout du nez, vous finirez par en vouloir aux autres. Vous vous sentirez mieux si vous exprimez vos sentiments et vos désirs même si, à l'occasion, on vous envoie promener ou on refuse de se plier à votre volonté. N'oubliez pas de faire preuve de souplesse lorsque vous demandez un service à quelqu'un. Votre degré sous-jacent de bonne volonté est important. Si vous exprimez une volonté, énoncez-la fermement sans vous écarter de votre sujet. Si vous parlez de vos sentiments, assumez-en la responsabilité et soyez précis; dites par exemple «Quand tu te conduis de telle ou telle façon, je me sens...» plutôt que «Tu me fous en rogne quand tu fais ceci ou cela». Si on laisse entendre que vous dramatisez ou faites des histoires pour rien, répondez: «Je ne le crois pas, ceci est important pour moi.»

❦ *J'énonce clairement ce qui est important pour moi.* ❦

Si vous voulez qu'une personne s'améliore ou change, mieux vaut lui adresser des suggestions ou lui poser des questions que de lui assener brutalement ce que vous attendez d'elle. De plus, écoutez-la attentivement lorsqu'elle parle et évitez de la juger. S'il y a lieu, montrez-lui que vous comprenez qu'elle soit bouleversée. Si la personne est agressive et que tout le monde cherche à la faire taire, vous pouvez lui demander: «Y a-t-il autre chose que vous voudriez exprimer?» Cette attitude peut s'avérer efficace notamment avec les personnes qui n'ont pas l'habitude d'être écoutées.

❦ *J'écoute les autres.* ❦

Il nous arrive de ne pas communiquer directement et clairement parce que nous sommes esclaves de notre besoin d'approbation et que nous nous soucions davantage de l'opinion et des sentiments d'autrui que de nos propres pensées et sentiments. Cela nous paralyse et nous empêche d'exprimer notre point de vue, même quand notre bien-être en dépend. N'oubliez pas que, dans la plupart des cas, vous n'avez pas besoin de justifier vos actions, surtout si elles ne concernent pas les autres. Faites les choix qui vous conviennent. Vous n'êtes pas tenu de justifier le choix de votre coiffure, de vos vêtements, de votre destination de vacances, de vos compagnons ou de vos compagnes. Peu importe l'opinion d'autrui. Ne laissez pas non plus les autres vous culpabiliser afin de mieux vous manipuler: «Si tu ne fais pas ce que je veux, cela veut dire que tu ne m'aimes pas, que tu n'es pas mon ami.» Soyez votre propre juge, mais sans vous critiquer.

En faisant constamment passer l'opinion et les sentiments des autres avant les nôtres, nous minons notre estime de nous-mêmes et notre pouvoir. Nous sommes conscients, en notre for intérieur, du fait que nous ne nous respectons pas et du fait que notre conduite est quelque peu excentrée. Nous laissons par conséquent entendre que les opinions des autres sont plus importantes que les nôtres. Une fois traités en conséquence, nous nous plaignons de voir que nos idées ne sont pas considérées.

Vous aurez beau être sincère avec vous-même, vos communications seront plus efficaces si vous êtes sincère et délicat dans vos rapports avec autrui. De même, aussi étrange que cela vous paraisse, il ne vous appartient pas de juger les autres et leurs comportements!

❦ J'approuve mes propres choix. ❦

Vous pouvez parer aux critiques

Souvent, la manière dont une critique est exprimée est aussi offensante que son contenu. Même si l'information s'avère juste, il vaut mieux la présenter avec délicatesse, car la froideur, la colère ou le ressentiment communiqués à travers le message peuvent être fort blessants.

Demandez-vous si vous pouvez vous y prendre autrement qu'avec colère et ne soyez pas sur la défensive. Dites ce que vous ressentez et trouvez le mot juste et la conduite de circonstance. La critique tend à alimenter le doute de soi et, tout en ne voulant pas rester aveugle aux changements qui seraient salutaires pour vous, vous n'en devez pas moins retrouver une solide foi en vous-même.

Si une personne en colère vous critique et vous menace, sachez tout d'abord qu'elle était en colère *de toute façon* et que, si vous n'aviez pas déclenché sa fureur, quelqu'un d'autre l'aurait fait! Ne vous pliez à ses exigences que si elles vous conviennent et ne vous croyez pas tenu de modifier votre conduite pour son bon plaisir, sauf si, après mûre réflexion, c'est ce que vous voulez faire. Si vous êtes très contrarié, faites quelques exercices pour renforcer votre estime de vous-même et cherchez le plus possible à retrouver votre paix mentale; vous discernez ensuite plus clairement la conduite à adopter et les propos à tenir. Trouvez les paroles justes, surtout si la furie est votre patron! Vous pouvez aussi vous féliciter si les choses qui vous vexaient habituellement ne vous dérangent plus. Nul besoin de parler à l'autre sur un ton hargneux, détendez-vous et chassez votre tension. Faites en sorte que ces critiques vous rendent plus doux et plus aimable plutôt que plus dur et plus timoré.

❦ Je m'approuve moi-même surtout lorsque les autres me critiquent. ❦

Si vous vous sentez coincé

Que faire si votre conjoint a mauvais caractère, mais qu'il vous fournit un toit et subvient à vos besoins? Situation délicate, c'est le moins que l'on puisse dire. Bien que vous ne deviez tolérer ni la violence physique ni la violence morale, vous devriez peut-être trouver une façon de vivre vous permettant de contourner le caractère de votre conjoint et la précarité de la situation. Faites votre possible pour conserver votre estime de vous-même et votre vitalité. Tout vous paraîtra plus facile si vous avez bonne opinion de vous-même. Tout en faisant de votre mieux pour vous ménager un mode de vie paisible, prévoyez une échappatoire, soit en épargnant votre argent, soit en trouvant refuge chez un ami.

Bien qu'il soit préférable, surtout pour les femmes, de conserver leur indépendance financière, cela n'est pas toujours possible et beaucoup d'entre elles, souvent avec un ou des enfants dépendent des prestations de la sécurité sociale, de revenus provenant d'un emploi à temps partiel ou du soutien, financier ou autre, de leurs amis et de leur famille.

Cherchez des moyens d'être indépendant, de vous sentir libre, d'être reconnaissant de votre situation. Concentrez-vous résolument sur ces moyens, même minimes, et cherchez des façons de les élargir. Accordez-vous une petite douceur chaque jour. Même si votre budget est réduit, chaque semaine mettez un peu d'argent de côté pour le consacrer à une dépense peut-être inutile, mais qui vous fait plaisir.

Continuez de vous défaire de votre ressentiment — un défi de taille! — et de vous concentrer sur ce que vous voulez. Continuez de transformer vos pensées, de laisser passer vos émotions et de les intégrer. Trouvez du temps pour vous détendre. Surveillez aussi votre diète, faites un peu d'exercice, reposez-vous et prenez l'air. Tout cela vous fortifiera. Rappelez-vous que votre estime de vous-même et un réseau d'amis chaleureux et positifs sont ce qui compte le plus pour vous.

Sachez vous y prendre avec les personnes peu commodes

Nul doute que, de temps en temps, vous rencontrerez des personnes hargneuses, peu commodes et désagréables. Si vous avez assez de maturité pour ne pas vous laisser entraîner dans des prises de bec, vous épargnerez beaucoup de temps et d'énergie. Si un commis, l'un de vos fournisseurs ou qui que ce soit vous adresse une remarque négative ou déplaisante, laissez-la passer. En abondant dans son sens, vous pourriez même désamorcer entièrement la situation! Si vous attirez toujours des réactions hargneuses ou négatives, voyez s'il n'y aurait pas en vous un trait qui provoque ces réactions. Cependant, pour ce qui est des rencontres négatives fortuites, détendez-vous et chassez tout sentiment déplaisant en quittant le magasin ou le bureau.

Encore une fois, rappelez-vous que plus une personne se montre odieuse, plus elle est troublée intérieurement. Les personnes qui ne se respectent pas sont incapables de respecter les autres! Il se peut fort bien qu'à certains moments, vous ayez affaire à ce genre de personnes — et même à des êtres méchants et violents qui cherchent délibérément à blesser. Aussi ardu que cela vous paraisse dans une situation injuste ou menaçante, évitez d'y engager vos émotions et votre énergie, afin de pouvoir vous concentrer sur les aspects importants de votre vie. Dites-vous que plus une personne est enragée, plus elle se sent impuissante. Elle ne s'aime pas et est troublée intérieurement. Votre défi consiste à garder un sang-froid imperturbable tout en défendant vos droits. Vous y parviendrez si vous vous concentrez sur les faits plutôt que sur les émotions qui les entourent.

La première étape consiste donc à libérer vos propres sentiments de colère, de frustration et de blâme. À la deuxième étape, clarifiez les faits. Quels sont vos droits réels dans cette situation? Voyez celle-ci comme une situation à dépasser plutôt qu'un problème émotionnel. Cela peut sembler ardu en présence de distractions. Vous n'avez toutefois pas besoin de vous laisser prendre dans des discussions interminables sur des aspects de la situation qui vous laissent indifférent. Retirez votre énergie.

❦ *J'abandonne mes griefs et m'ouvre*
à un plus grand nombre de bienfaits dans ma vie. ❦

Les brutes sont souvent des êtres timorés qui ne s'estiment pas et obtiennent ce qu'ils veulent en effrayant ou en intimidant les autres. Ils se tiennent constamment sur leurs gardes tout en menant une offensive afin d'exercer ce qu'ils estiment être leur pouvoir alors qu'au fond, ils tremblent de peur. Quelle que soit la raison pour laquelle ces individus sont perturbés, il n'est jamais agréable d'avoir affaire à eux. Aussi, évitez-les autant que possible sans vous laisser intimider pour autant.

Si des voisins ou collègues de travail vous harcèlent, conservez toujours votre estime de vous-même, quelle que soit votre détresse. Demandez le soutien de vos amis, de votre famille ou de vos collègues. Brossez un tableau de la situation et indiquez les mesures à prendre selon vous. Tenez-vous-en aux faits. Autant que possible, exposez la situation au grand jour. Dans certains cas, vous pourrez vous allier à d'autres personnes tandis que dans d'autres, vous devrez agir seul et demander conseil afin de défendre vos droits.

Sollicitez le soutien de vos amis pour les questions d'ordre personnel et celui de figures d'autorité ou de personnes qualifiées pour tout autre aspect.

Vous devez à tout prix conserver votre optimisme et vous concentrer sur ce qui est important pour vous. Toutefois, remarquez que tout le monde ne partage pas nécessairement vos nobles intentions et vos idéaux. Certaines personnes peuvent se montrer carrément méchantes ou simplement irréfléchies, car elles se moquent des conséquences de leur comportement et sont résolues à n'en faire qu'à leur tête.

Si vous vous surprenez en train de juger les autres, arrêtez-vous et reportez fermement votre attention sur vous-même. Concentrez-vous sur vos objectifs et sur ce que vous pouvez faire pour vous sentir mieux. Apprenez à chasser de vos pensées toute situation discordante. S'il s'agit d'une circonstance sociale, oubliez-la en quittant les lieux. Il faut parfois beaucoup de détermination pour orienter ses pensées ailleurs, mais c'est un excellent exercice et la seule façon d'aller de l'avant.

Prenez soin de vous-même, attelez-vous aux tâches qui comptent pour vous et ramenez votre énergie vers vous-même. Voyez votre brouille comme une simple irritation, ni plus ni moins. Vous êtes la personne la plus importante de votre vie. Détendez-vous physiquement et assurez-vous que vos pensées sont positives. Écrivez vos objectifs concernant les aspects de votre vie qui vous tiennent à cœur. Examinez quelles sont les mesures concrètes que vous pouvez prendre maintenant.

❦ *Je reporte mon attention sur moi-même et sur ce qui me tient à cœur avec une force décuplée.* ❦

Cible personnelle

La communication constructive

Clarifiez le message que vous voulez transmettre à un tiers et écrivez-le. Assurez-vous d'avoir été aussi aimable que possible, tant envers l'autre qu'envers vous-même. Identifiez aussi ce que vous ressentez, pourquoi vous le ressentez et ce que vous aimeriez que l'autre personne fasse. Par exemple, «Quand tu... je me sens... parce que... J'aimerais que tu...»

Faites face aux critiques

1. Trouvez et consignez trois façons d'être moins critique envers vous, de vous apprécier davantage en pensée et en action et de faire de même envers autrui.

2. Si vous avez essuyé une critique, reconnaissez vos sentiments. Puis, faites la distinction entre les aspects pratiques de chaque critique et vos émotions. Précisez quels sont les comportements que vous pourriez modifier en réponse à la critique. Notez vos principaux commentaires.

Affronter une personne peu commode ou une situation épineuse

1. Décrivez vos sentiments à l'égard de la personne ou de la situation.

2. Après avoir accepté vos sentiments, chassez-les. S'ils exercent encore une solide emprise sur vous, refaites les exercices pour vous libérer du blâme de la page 42. Décrivez la situation telle qu'elle est, c'est-à-dire comme une simple situation.

3. Quels résultats visez-vous?

4. Que pouvez-vous faire de votre côté? Quelles sont les actions concrètes à votre portée? Qui peut vous aider?

5. Après avoir fait ce que vous pouvez, reportez toute votre attention sur vous-même. Réfléchissez à ce qui compte pour vous. Décrivez-le ci-dessous.

Exercices de détente

Projetez des pensées bienveillantes

Détendez-vous. Imaginez que vous êtes détendu et que vous vous sentez bien. Émettez des pensées bienveillantes à l'intention de toute personne ou groupe de personnes avec qui vous comptez communiquer. En cas de désaccord surtout, émettez à l'avance des pensées favorables afin que vos échanges soient harmonieux et trouvent une issue positive.

Sentez-vous libre et allez de l'avant

Détendez-vous. Imaginez que vous allez de l'avant. Imaginez que vous êtes imperméable à l'influence des autres et que vous avancez. Servez-vous de votre colère, le cas échéant, pour vous propulser vers l'avant. Visualisez votre succès et votre bonheur et ressentez-les en vous-même. Prenez un moment pour absorber ou ressentir toute expérience susceptible de vous procurer bonheur et succès. Qu'est-ce que cela signifierait pour vous? Que ressentiriez-vous?

9

La famille et les jeunes

Chaque membre d'une famille a besoin d'être respecté et aimé pour lui-même. Il n'est pas bon que le bien des enfants passe avant tout, au détriment des adultes qui sont alors incapables de préserver leur estime d'eux-mêmes et de s'occuper de ce qui leur tient à cœur. Cela ne fait que provoquer du ressentiment en eux et n'enseigne pas aux enfants comment s'estimer eux-mêmes et comment faire ce qui est le mieux pour eux. Pas plus, certes, qu'il n'est bon d'écraser ou de persécuter les enfants, car ils ont besoin qu'on les encourage à se respecter eux-mêmes et à respecter les autres. Traiter l'enfant sans respect entraîne toutes sortes de dommages, tant pour celui-ci que pour la société en fin de compte. Peu importe la forme que revêt la famille, c'est le respect témoigné à chacun de ses membres qui constitue le facteur primordial.

Le respect des autres s'apprend quand on est jeune. Les démonstrations de respect mutuel, d'amour et d'encouragement fournissent à l'enfant un modèle qui lui permettra plus tard de nouer des relations, de vivre et de travailler harmonieusement avec les autres. Les adolescents, en particulier, ont besoin d'être traités avec respect, surtout s'ils manifestent un tempérament rebelle et peu attirant. Cependant, ils doivent aussi comprendre clairement la nécessité de respecter les autres.

Le plus grand service que vous pouvez rendre à vos enfants, outre de les aimer et de subvenir à leurs besoins matériels, est de bâtir votre vie sur une solide estime de vous-même. Les enfants et les jeunes ont besoin que les adultes, et de préférence leurs parents, leur fournissent un modèle d'estime de soi-même et de respect de soi et des autres.

❦ *Toute ma famille profite du fait que je m'estime moi-même.* ❦

Il est important que les jeunes s'estiment eux-mêmes

Si tu es jeune et que tu lis ceci, tu as peut-être du mal à distinguer clairement ce qui a de la valeur et ce qui est important dans ta vie. Les générations précédentes t'ont laissé en héritage un système de croyances ou une absence de système de croyances ainsi qu'un mode de relations avec les autres et avec le monde en général qui ne te paraissent peut-être pas très utiles. C'est pourquoi tu as du mal à discerner ce qui compte le plus pour toi dans la vie.

Au milieu de cette confusion, il se peut que tu doutes de toi-même et que tu aies l'impression de compter pour du beurre. Tu ne t'apprécies pas ni ne te respectes tout à fait. Tu ne veux pas assumer de responsabilités ou encore tu aspires à le faire, mais ignores comment t'y prendre. La première étape, qui est essentielle, consiste à cesser de blâmer les autres — tes parents, tes professeurs, tes amis ou le gouvernement. Même s'ils te paraissent peu obligeants, ils font sans doute de leur mieux. Commence à regarder ce que tu peux faire pour toi-même. Dans ce but, examine tes façons de penser, de parler et d'agir. Tes pensées et comportements sont-ils utiles aux autres et à toi-même? Es-tu la personne que tu aspires à être?

Il est important que tu saches que tu as une grande valeur, que tu es irremplaçable, merveilleux, unique. Concentre toujours ton attention sur tes traits positifs et sur ceux des autres. Tu devras peut-être te demander ce qui compte pour toi dans ta vie. Comment peux-tu te respecter et respecter les autres davantage? La société, telle que tu la connais, ne t'apporte peut-être pas beaucoup de réponses ou celles qu'elle t'apporte ne te sont pas d'un grand secours. Aussi, quand tu fais quelque chose, observe ce qui te convient à *toi*. Si tu réfléchis à ce que tu veux accomplir, tu comprendras peu à peu comment tu te sens, ce qui est juste pour toi ou ce qui ne l'est pas. Quel genre de vie te plairait le plus? Commence à y réfléchir. Il s'agit de ta vie.

❦ *J'apprécie ma vie et je m'apprécie moi-même.* ❦

L'estime de soi-même et la dépendance

Beaucoup de jeunes se mésestiment, n'ont pas de raison de vivre et souhaitent échapper à leurs sentiments en les remplaçant par des sensations fortes. C'est ce qui les amène à prendre de la drogue. L'une d'elles, le crack, est particulièrement efficace pour annihiler les sentiments, et anéantir du même coup l'appréciation personnelle et l'intuition de la personne.

Si tu es résolu à t'affranchir de ta dépendance envers la drogue, assure-toi d'avoir du soutien dans ton cheminement chaque fois que tu auras envie de revenir à la drogue. Concentre-toi sur ta santé. Il est important de prendre les choses une journée à la fois, plutôt que de regarder trop loin en avant. Commence à t'écouter toi-même et à écouter ce qui est le mieux pour toi. Tu dois à tout prix développer ton estime de toi-même, décider ce que tu veux faire de ta vie, quel travail tu aimerais accomplir. Trouve un emploi et une rémunération qui te permette de vivre dans le respect de toi-même. Tu pourrais te bâtir un réseau de personnes que tu aimerais avoir comme modèles, des personnes qui ne consomment pas de drogue, par exemple. Tu pourras ensuite reconstruire les liens familiaux qui ont peut-être été détruits par ta dépendance.

❦ *Si je veux qu'on me respecte,*
je commence par me respecter moi-même. ❦

Prenez votre bonheur en main

Qui est responsable de votre bonheur? Qui est responsable du bonheur de votre mari, de votre femme, de votre enfant, de votre collègue de travail? Peut-être savez-vous déjà que vous seul êtes responsable de votre bonheur ou encore vous croyez que quelqu'un d'autre peut ou devrait «vous rendre heureux». S'il vaut mieux se montrer aussi positifs, compatissants et obligeants que possible les uns envers les autres, chacun de nous est responsable de lui-même quand il entre dans la vie adulte. Sans les outils nécessaires pour développer son estime de soi-même, il peut être difficile de savoir quoi faire. Toutefois, vous savez maintenant comment utiliser vos pensées, vos émotions et votre imagination de même que votre intuition. Vous seul pouvez bâtir votre estime de vous-même. Personne ne peut le faire pour vous.

Quand nous endossons le malheur de quelqu'un, nous nous prenons au piège de la culpabilité. Cela n'est utile ni pour l'autre ni pour nous, et avec le temps, ce «lien» risque de nous irriter. En conséquence, traitez les autres avec respect et encouragez-les à tenir des propos et à nourrir des pensées positives sur eux-mêmes et sur les autres, puis reportez votre attention sur vous-même.

Votre insatisfaction prend naissance à l'intérieur de vous-même. Il n'est jamais trop tard pour vous concentrer sur vos besoins. Que pourriez-vous faire pour vous sentir mieux? Comment pouvez-vous améliorer vos relations afin de les rendre plus cordiales et plus aimantes? La partie la plus importante de vous-même est votre intuition et vous devez l'écouter afin de faire ce qu'il faut pour être heureux. En demeurant centré, heureux et décidé, vous montrez que vous vous estimez vous-même.

❦ *J'écoute mon intuition pour savoir ce qui est le mieux pour moi.* ❦

Il est facile de gaspiller son énergie en se laissant distraire par des broutilles. Même nos amis intimes et les membres de notre famille peuvent nous épuiser si nous passons notre temps à nous inquiéter pour eux au lieu de nous concentrer. Nous devrions nous demander chaque jour: «Idéalement, de quelle façon devrais-je employer mon temps?» Cette décision n'appartient qu'à vous seul. Vérifiez à chaque moment l'utilisation que vous faites de votre énergie et de votre temps, tous deux très précieux. Vous ne vous sentirez comblé que si vous faites ce qui vous tient à cœur et vous rend heureux. Parfois, ce peut être de travailler et d'achever un projet; à d'autres moments, ce peut être de prendre un verre et de regarder la télévision. Pour vous estimer vous-même, pour être satisfait et avoir l'esprit en paix, c'est à votre intuition que vous devez porter attention.

Soyez-vous fidèle. Sachez que l'on peut donner et recevoir à bien des niveaux! La contribution d'un partenaire peut se situer au niveau financier et matériel tandis que l'autre apporte davantage sur le plan pratique ou en termes de soutien mental et affectif. De nos jours, beaucoup de femmes se plaignent de perdre leur identité au sein de la relation, surtout lorsqu'elles dépendent financièrement de leur conjoint. De même, bien des hommes qui se sentent obligés de subvenir aux besoins financiers de leur partenaire finissent par se mésestimer. Si vous êtes forcé de commettre certaines actions qui ne sont pas dans votre intérêt, cela ne vous fait pas honneur, ni à vous ni à votre partenaire. Ne vous jugez donc pas si celui-ci vous soutient financièrement. Demeurez centré et conservez votre équilibre afin que rien ne suscite de regrets ou de ressentiment en vous.

Dans vos relations, il est primordial que vous préserviez votre bien-être et fassiez ce qui est le mieux pour *vous*. Si vous devez opérer des changements pour contenter votre partenaire et vos enfants, faites-le d'une manière qui ne minera pas votre estime de vous-même. De cette façon, vous soulagez votre famille du «fardeau» de vous divertir et lui donnez toute la liberté d'assurer son propre bonheur à sa façon. Lorsque vous êtes heureux, vous montrez à votre partenaire, votre famille et vos amis qu'ils peuvent aussi prendre leur bonheur en main.

❦ *Quand je suis heureux, tout le monde en profite.* ❦

Cible personnelle

Une solide estime de soi-même au sein de la famille

1. De quelle façon pouvez-vous vous aimer et vous respecter vous-même?

2. De quelle façon pouvez-vous témoigner de l'amour et du respect à un membre de votre famille?

3. Nommez une façon de demander à votre famille de vous aimer et de vous respecter.

Pour les jeunes

1. Que veux-tu faire de ta vie? Comment voudrais-tu que ta vie se déroule? Écoute tes intuitions, vois ce que te révèlent tes rêves ou tes rêveries. Note-les ici.

2. Parle à des gens qui font un travail qui t'attire. Renseigne-toi, par exemple, sur la formation nécessaire. Enregistre dans un cahier, sur cassette ou sur ordinateur tes idées concernant les types de travail qui t'intéressent.

3. Quel premier pas peux-tu faire maintenant pour rendre ta vie conforme à tes désirs? Y a-t-il une organisation à laquelle tu pourrais adhérer? Si tu t'intéresses à l'environnement, que peux-tu faire, à la maison et à l'école, par exemple, pour économiser l'énergie ou recycler des matériaux?

4. Remarque ce qui t'aide, toi, à conserver ton estime de toi-même. Écoute ton intuition et tes pressentiments, et note-les dans ton cahier ou par ordinateur.

Créer de la satisfaction et du plaisir

Détendez-vous et faites l'exercice ci-dessous.

1. Énumérez toutes les actions susceptibles de vous procurer de la satisfaction et le sentiment d'aller de l'avant dans votre vie. Décidez à quelle date et à quel moment vous les mettrez en œuvre.

2. Nommez une activité que vous pourriez faire avec votre partenaire, un ami ou un membre de votre famille et qui vous divertirait tous les deux? Encore une fois, déterminez la date et l'heure de cette activité.

Exercices de détente

Une saine estime de soi dans la famille

Détendez-vous et imaginez que vous vous aimez et que vous vous respectez. Imaginez que chaque membre de la famille se respecte et s'estime. Sentez couler vers eux l'amour et le respect que vous éprouvez à leur égard. Maintenant sentez que l'amour et le respect qu'éprouve votre famille à votre endroit coule vers vous. Ouvrez-vous à ces sentiments.

Pour les jeunes

Si tu veux apprendre à te détendre mentalement et à ressentir tes émotions sans inconfort, tu dois absolument te détendre physiquement. En outre, cela te donnera de l'énergie. Aussi, trouve un endroit calme où tu seras seul. Une musique douce peut t'aider à te détendre. Fais en sorte de ne pas être interrompu et détends progressivement toutes les parties de ton corps. Imagine un endroit où tu peux être détendu et calme, un lieu magnifique situé dans la nature. Observe à quel point tu es calme et centré, combien ta présence à cet endroit renforce ton estime de toi-même. Dans cet état de calme et de détente, y a-t-il une question que tu te poses? Pose-la à ton intuition. Cela concerne peut-être le prochain pas à faire dans un domaine de ta vie. Ouvre doucement les yeux avant de te lever. Tu te sens apaisé, mais l'esprit alerte.

Insufflez plus de joie dans votre vie

Détendez-vous, imaginez que vous vous estimez vous-même et que vous êtes heureux. Quel effet cela provoque-t-il en vous? Remarquez ce que vous faites pour créer ce sentiment de bonheur. Qui se trouve avec vous? Dans quel environnement vous trouvez-vous? Émettez des pensées bienveillantes afin d'attirer à vous ces situations bénéfiques. Écoutez votre intuition et demandez-lui ce que vous devez faire et savoir pour être heureux. Tout en ouvrant doucement les yeux, soyez impatient de multiplier les activités qui vous rendent heureux. Vous vous sentez calme mais l'esprit alerte.

10

Votre responsabilité en tant que citoyen

Respecter les autres et votre environnement

Quand nous condamnons les autres ou feignons d'ignorer qu'on leur manque de respect, cela ne peut manquer de provoquer un malaise au plus profond de nous. Si nous nous respectons nous-mêmes, nous serons plus enclins à respecter les autres et notre environnement.

Nous vivons sur une magnifique planète et pourtant, nous ne cessons de la détériorer. En réalité, le peu de respect et de considération que nous témoignons à notre planète reflète le peu de respect que nous avons envers nous-mêmes. Maintenant que certains dommages causés à la Terre et à l'atmosphère ont été rendus publics, nous devons tout mettre en œuvre pour respecter notre planète et faire en sorte que l'humanité puisse continuer de l'habiter. S'il est peut-être vrai que notre planète pourrait survivre et s'adapter sans nous, nous n'avons d'autre choix, pour le moment, que de vivre sur elle! L'humanité n'a pas d'autre résidence.

C'est pourquoi nous devrions examiner de plus près la façon dont nous employons ses ressources. Comment pouvons-nous réduire l'utilisation de certaines substances et les emballages inutiles? Comment pouvons-nous préserver, protéger et soutenir certains aspects de la planète et de la vie qui y règne? Pouvons-nous prendre part au processus politique afin d'obtenir les résultats devenus nécessaires désormais?

Le respect des individus

Les droits des individus selon la loi, le respect de soi, des autres et de l'environnement sont des principes qui, tristement, brillent par leur absence dans notre société moderne. Le droit de chaque individu au respect est un droit fondamental. Lorsque ce droit est bafoué, nous avons des difficultés à vivre et à travailler ensemble. Si vous vivez dans une ville, ou partagez un immeuble avec d'autres locataires, vous savez à quel point il est difficile de vivre en paix avec les autres. Les disputes au sujet de l'usage du jardin, de l'entretien et du nettoyage des lieux communs et le niveau de bruit ambiant sont fréquentes. S'il vous est déjà arrivé d'être tenu éveillé nuit après nuit par le grondement constant de la musique du locataire du dessus, du dessous ou d'à côté, vous savez quel aspect important de la liberté personnelle et de l'estime de soi constitue le niveau de bruit ambiant.

Écoutez toujours votre intuition, fiez-vous à vos pressentiments, et vous identifierez ce qui est important pour *vous* dans chaque situation. Si vous prenez votre vie en main, tant comme individu que comme citoyen, vous vous estimerez davantage et découvrirez que vous avez plus d'énergie pour aider les autres et pour vous aider vous-même.

❦ *Quand je me respecte moi-même,*
je respecte aussi les autres et l'environnement. ❦

Vous pouvez changer quelque chose

Nous vivons en ce moment un profond bouleversement social et politique; le vieil ordre des choses est en voie de se transformer et de disparaître. En même temps, les possibilités de participer à ces changements se multiplient, car il existe de nombreux groupes de pression auxquels peut se joindre l'individu. Croire en soi-même et en sa contribution personnelle constitue une partie importante du développement de l'estime de soi-même. Quel que soit l'aspect de notre société qui vous stimule — vous vous passionnez pour un projet en cours ou vous vous irritez de voir certaines facettes de notre vie moderne négligées —, sachez que cette vague d'énergie est le signe que cette question vous tient à cœur. Prenez-en conscience. Soyez prêt à proposer des changements positifs et à passer à l'action.

Quelqu'un a dit que la politique était trop importante pour être laissée aux politiciens. Vous êtes persuadé que vous pourriez faire mieux que votre conseiller municipal? Vous pourriez bien avoir raison, alors foncez. S'il est important que les hommes et les femmes politiques écoutent les citoyens et les aident, il est tout aussi important que les citoyens se fassent entendre et expriment haut et clair leurs opinions, leurs désirs et leurs besoins. Ceci constitue un premier pas, du moins, vers un processus politique bidirectionnel. Il est excellent, pour votre amour-propre, que vous identifiiez les questions qui ne vous laissent pas indifférent et que vous passiez à l'action. Le moment est venu de participer à ce que nous pourrions appeler «la politique» dans un sens plus large. Vos actions pourraient promouvoir la paix, faire de la terre un endroit où il serait encore meilleur de vivre ou encore assurer la survie de notre planète.

Vous avez peut-être une idée nette des améliorations requises dans divers domaines de la société, dans celui de l'éducation ou du logement, par exemple. Entretenez consciemment dans votre esprit des images d'eau claire et d'air pur, de forêts vertes et de végétation luxuriante. Discutez avec des gens qui pensent comme vous de la solution idéale aux problèmes de votre région. *Il ne suffit pas,* toutefois, d'avoir des pensées positives. Le moment est venu de passer à l'action. Aussi, agissez de façon responsable et en vous appuyant sur votre estime de vous-même pour sauver notre planète. Nous pouvons changer quelque chose, tant comme individu que comme collectivité. Il existe de nombreux groupes politiques, environnementaux ou autres auxquels vous pouvez adhérer. Consultez le répertoire téléphonique ou les affiches de votre quartier.

❦ J'apporte ma contribution personnelle
en exprimant mon opinion et en passant à l'action. ❦

Cible personnelle

Apportez votre contribution en tant que citoyen

1. Que pouvez-vous faire au jour le jour pour aider et soutenir d'autres personnes ou pour protéger l'environnement? Décrivez les mesures concrètes qui sont à votre portée en précisant celle que vous pouvez mettre en œuvre sur-le-champ.

2. Vous passionnez-vous pour des causes plus vastes, comme les dangers des déchets nucléaires, par exemple? De quelle façon pouvez-vous obtenir l'appui d'autres personnes pour préconiser les mesures de sécurité qui s'imposent?

3. Suivez de près les décisions arrêtées et adoptées sous forme de lois en participant au processus politique. Examinez la possibilité d'adhérer à un parti politique ou à un groupe de pression, ou trouvez comment on devient conseiller municipal. Participez à votre façon.

Exercice de détente

Le respect des autres et de l'environnement

Détendez-vous. Imaginez que vous êtes calme, serein, rempli d'estime de vous-même. Visualisez-vous en santé et radieux. Imaginez que vous vous trouvez dans un lieu idyllique, situé tout près de la mer, où l'eau est fraîche, l'air pur et la végétation luxuriante. Vous pouvez imaginer ce que vous voulez, par exemple un système politique efficace, des transports en commun bien pensés. Demandez-vous ce que vous pouvez faire concrètement pour améliorer la situation. Imaginez-vous en action.

Cinquième partie

Votre corps

11

Votre estime de vous-même et votre corps

Voyez-vous comme une personne attirante

Aimez-vous votre corps? Bien des gens ne se trouvent pas attirants physiquement. Vous passez peut-être beaucoup de temps à vous dire «Je ne suis pas attirant», «Je suis trop gros», «Mes jambes sont trop courtes» ou quoi que ce soit et à le déplorer. Vous concentrez de la sorte votre attention sur les aspects de vous-même qui vous déplaisent plutôt que sur ceux qui vous plaisent. Vous créez une image peu attrayante de vous-même et c'est cette image que vous projetez et diffusez à l'extérieur. Par ailleurs, même quand d'autres personnes pensent que vous êtes une personne très bien, vous ne les croyez pas.

Si vous décidez que vous auriez avantage à être plus mince, en meilleure forme, à vous occuper davantage de votre poids, de votre chevelure ou de vos vêtements, faites-le de la manière la plus agréable possible, mais qui produira tout de même les résultats que vous visez. Ne vous privez pas de certaines activités parce que vous avez l'impression que vous n'êtes pas assez attirant. Il est constructif et utile de s'aimer soi-même, surtout quand on désire opérer des changements. N'attendez pas d'avoir perdu du poids, par exemple, pour commencer à vous aimer et à faire ce que vous voulez faire! Vous pouvez améliorer votre santé et votre apparence grâce à des soins assidus et à une nourriture saine, mais également par vos pensées et vos émotions.

❦ *Je me concentre sur les aspects attirants de ma personne.* ❦

De nos jours, on attache beaucoup d'importance à l'apparence extérieure. Or, votre propre perception de vous-même — votre image intérieure — joue un rôle crucial dans la façon dont les autres vous perçoivent. Concentrez-vous sur les traits de votre personnalité qui vous plaisent et vous verrez que ce sont ceux-là qui attireront l'attention.

Parlez de votre corps tel que vous voudriez qu'il soit: rayonnant de santé et attirant. Imaginez-le ainsi. Si vous vous surprenez à parler de votre corps ou à y penser en des termes qui nuisent à votre estime de vous-même, abandonnez cette piètre perception de vous-même et voyez-vous tel que vous aimeriez être. Vous obtiendrez davantage de ce que vous mettrez en évidence; aussi, évitez de souligner vos imperfections. Traitez votre corps comme un ami que vous voulez aimer et soutenir.

Vous êtes maître de votre corps

Vous savez sans doute que l'on peut s'alimenter d'une manière bénéfique ou nocive. Il vous arrive peut-être de vous empiffrer pour engourdir vos sentiments et vous sentir mieux. Si, comme c'est presque inévitable, vous vous sentez coupable et moins bien après, vous retirez peu de plaisir de toute l'affaire. Si vous êtes porté à vous gaver de sucreries, cherchez d'autres façons d'adoucir votre vie, en vous donnant davantage de ce que vous aimez.

La plupart des comportements compulsifs ont des effets nocifs sur notre corps. Nous devons avoir la discipline nécessaire pour vouloir changer et aller de l'avant parce que cela est bénéfique pour notre estime de nous-même et, comme tel, plus agréable pour nous. Dès que vous vous entendez dire «Plus jamais!», vous savez fort bien que vous récidiverez! Vous devez vous pardonner les erreurs que vous avez commises, cesser de vous condamner. C'est là la condition préalable à tout changement, surtout si c'est un comportement que vous voulez modifier.

Remarquez également quels sentiments vous refoulez ou ignorez en perpétuant le comportement que vous désirez changer — complaisance, négligence ou temporisation. Que ressentez-vous au fond? Il n'y a pas de danger à ressentir ses sentiments. Plus vous le ferez, plus vous serez à l'aise avec eux. Quels égards pouvez-vous avoir envers vous-même? Écoutez-vous ce que vous voulez vraiment, ce que votre corps veut et ce que vous souhaitez pour vous-même dans votre vie? Commencez à vous donner davantage de ce que vous voulez. Cela signifie aussi faire ce qu'il faut pour aller de l'avant dans votre vie.

❦ *Je me donne de plus en plus ce que je veux vraiment.* ❦

Avez-vous l'intention de suivre un régime ou un programme d'exercice pour maigrir et vous mettre en forme? Vous l'avez peut-être déjà fait mais vous êtes ensuite retombé dans vos vieilles habitudes. Vous avez peut-être atteint votre objectif pour revenir *subito presto* à votre ancien poids. La diète et les exercices peuvent être utiles, mais si vous éprouvez une réelle difficulté à modifier votre poids, vous devrez prendre en considération certains facteurs mentaux et affectifs.

Demandez-vous d'abord ce que vous attendez. Y a-t-il un domaine de votre vie dans lequel vous voudriez progresser? Si tel est le cas, commencez par identifier ce que vous voulez accomplir et le moyen d'y parvenir. Êtes-vous paralysé par le poids mort de vos espoirs déçus? Si vous attendez d'avoir maigri pour vous atteler à la tâche, il se peut que vous vous accrochiez à votre poids pour la simple raison que vous n'avancez pas dans le domaine qui vous tient vraiment à cœur.

La peur et toutes nos émotions peuvent se cristalliser si nous refusons de les reconnaître. Un excès de poids peut être une façon que choisit le corps pour faire face au stress. Si vous craignez d'être blessé, il se peut que vous vous entouriez inconsciemment d'une «carapace» supplémentaire afin de vous protéger. Inspirez profondément et détendez-vous; quels sentiments éprouvez-vous? Gardez en mémoire qu'il n'est jamais dangereux de ressentir ses sentiments. Plus vous les reconnaîtrez et les accepterez, plus il vous sera facile d'opérer les changements que vous désirez dans votre comportement.

❦ Je peux ressentir mes sentiments en toute sécurité. ❦

La douleur et la maladie

Si vous n'avez pas beaucoup d'énergie, vous devez avant tout vous détendre et prendre soin de vous-même. Faites votre possible pour respecter vos arrangements avec les autres ou les modifier au besoin, mais évitez de vous pousser au-delà d'une certaine limite. En agissant ainsi, vous accompliriez très peu et votre état ne ferait qu'empirer. Chaque fois que vous êtes malade, prenez bien soin de votre corps, car bien des rhumes et des grippes cachent un épuisement qui nous rend plus sujets à ces maladies. Nous sommes très souvent trop occupés pour identifier ce dont nous avons besoin pour demeurer en santé et nous l'accorder, que ce soit du repos, de la détente, une attitude positive, de la nourriture saine, de l'exercice, des liens amicaux ou le travail idéal pour nous.

Lorsqu'on est malade, il est particulièrement difficile de s'estimer et de rester centré. On a tendance à se laisser abattre par son état de santé. C'est pourquoi il est doublement important de faire tout ce que vous pouvez pour vous aider. Faites votre possible pour soulager la douleur en recourant à la médecine traditionnelle ou aux médecines douces. Dans la mesure du possible, écoutez de la musique joyeuse et apaisante. Le moment est *mal* choisi pour vous demander comment vous en êtes arrivé là, même si votre problème est récurrent ou chronique. Tout en imaginant que vous vous sentez mieux physiquement et mentalement, rappelez-vous que les pires symptômes sont temporaires. Lorsque vous êtes confortablement étendu, envoyez des messages à vos cellules pour qu'elles guérissent et fonctionnent parfaitement; évoquez un moment où vous débordiez de vitalité avant votre malaise. Si votre état vous incommode, demandez-vous quelle chose, même banale, vous ferait plaisir: écouter une émission spéciale à la radio, prendre un bain calmant, vous installer confortablement dans votre lit pour feuilleter votre magazine favori. Écoutez votre intuition pour vous revitaliser. Aidez-vous en imaginant que vous êtes guéri et rayonnant de santé.

❦ *Je recouvre la santé grâce à la détente et au repos.* ❦

Si un de vos proches est malade, cela peut être inquiétant, surtout s'il est perturbé et que son état semble empirer. Bien sûr, vous voudrez faire votre possible pour l'aider. Mais si vous ne pouvez faire plus ou que vous vous sentez constamment coupable et fatigué, si vous avez l'impression que vos efforts sont vains, il est temps que vous cessiez d'y investir votre énergie. Vous pouvez toujours aider la personne en imaginant qu'elle est guérie. Parlez-lui en termes positifs et encourageants; stimulez son amour-propre, rappelez-lui qu'elle s'en tirera, montrez-lui le chemin déjà parcouru. Évoquez les moments où elle rayonnait de santé et de vitalité. Votre estime de vous-même alliée à une bienveillance compatissante lui remontera le moral.

Des règles douloureuses

Chez certaines femmes, les règles peuvent être difficiles ou même douloureuses, tant sur le plan physique que sur les plans mental et affectif. Peut-être souffrez-vous de malaises avant et pendant vos règles: inconfort, rétention d'eau, crampes ou maux de tête. Des pensées vous harcèlent, vous ressentez une surcharge d'émotions, vous avez l'impression de ne plus maîtriser la situation... Vous pouvez améliorer votre sort en prenant conscience de ceci les jours précédant vos règles et en prenant davantage soin de vous-même pendant le reste du mois. Consommez les boissons et les aliments qui sont bons pour vous et détendez-vous. N'oubliez pas que vos besoins sont sans doute très différents de ceux d'une autre femme.

Vous voudrez peut-être recourir à des produits naturels pour alléger vos symptômes durant cette période. Mieux vaut les prendre pendant tout le mois afin d'éviter une accumulation de symptômes et pour créer un meilleur équilibre énergétique. Cultivez des pensées positives et intégrez vos émotions à mesure qu'elles surviennent, pendant le mois, afin d'éviter toute surcharge émotive.

❦ *Je me sens calme et centré.* ❦

Le mieux pour votre corps

Chaque personne, parce qu'elle est unique, possède des exigences optimales particulières dans tous les domaines de sa vie. Demandez-vous quel est le geste le plus salutaire que vous pourriez faire pour votre corps en ce moment? Devriez-vous arrêter et vous détendre, vous plonger dans une activité quelconque, manger certains aliments ou recevoir un massage? Posez-vous la question et la réponse vous viendra! Si votre corps pouvait parler, que vous dirait-il en ce moment? Vous dirait-il: «Je suis épuisé, je veux que l'on s'occupe de moi»? Écoutez et vous entendrez la réponse! Puis passez à l'action d'une manière agréable et stimulante pour vous.

Le stress et les pensées dénigrantes envers soi-même sont de véritables bouffeurs d'énergie. La peur associée à l'idée que vos sentiments ne sont rien entraîne une accumulation quotidienne d'inquiétudes qui vous épuise. Découvrez ce qui est efficace pour vous et agissez. Rappelez-vous que vos besoins varient selon les moments.

De même que vous êtes un individu unique, merveilleux et spécial, votre corps est unique et merveilleux, avec son énergie particulière et ses besoins changeants. Écoutez votre intuition pour connaître les désirs et les besoins de votre corps. Il réagira aux bons traitements que vous lui prodiguerez. Faites en sorte que vos habitudes et attitudes fortifient votre estime de vous-même et vous donnent l'énergie nécessaire pour mordre à belles dents dans la vie!

❦ *Quand je fais ce qu'il y a de mieux pour mon corps, j'ai de plus en plus d'énergie.* ❦

Cible personnelle

Le mieux pour votre corps

1. Détendez-vous, puis dressez la liste de tous les bons soins que vous pouvez prodiguer à votre corps pendant les trois prochains mois.

2. Nommez une petite douceur que vous pouvez accorder à votre corps à compter d'aujourd'hui?

3. Écrivez vos pensées les plus constructives afin de vous encourager à respecter votre programme.

Les règles

1. Écrivez ce que vous pouvez faire ce mois-ci pour faciliter la période de vos règles. Quelles mesures précises pouvez-vous prendre avant et pendant vos règles? Par exemple, si votre horaire de travail est particulièrement chargé, prévoyez une soirée relaxante.

Exercices de détente

Prenez soin de votre corps

Détendez-vous, puis demandez à votre intuition ce que vous pourriez faire pour votre corps. Quels soins lui seraient bénéfiques? Si vous ressentez une douleur ou une tension, demandez-lui ce que vous devez faire pour vous sentir mieux.

Règles

Détendez-vous, voyez comme vous êtes calme, centrée, équilibrée. Cultivez l'idée que vos règles se passent bien. Imaginez que vous larguez des déchets mentaux et émotionnels, sentez-les se dissoudre. Ressentez comme il est bon d'être libérée de cette tension, sentez que vous dominez la situation et que vous vous donnez l'espace nécessaire pour vous livrer à vos activités favorites. Faites cet exercice quelques jours avant vos règles (pendant dix minutes) et au moment de vos règles.

Soyez détendu et plein d'énergie

Suivez la méthode de détente générale. Puis imaginez que vous envoyez un surcroît d'amour et de soutien à tous les endroits de votre corps qui sont tendus, inconfortables ou dont l'apparence vous déplaît. Maintenant dissolvez cette image, détendez-vous encore plus profondément et imaginez-vous avec le surplus d'énergie et le sentiment de détente que vous aimeriez ressentir. Observez la sensation de bien-être qui vous envahit. Détendez-vous et conservez cette image, puis laissez-la aller complètement, tout en préservant votre sensation de bien-être.

Sixième partie

Votre argent

12

L'estime de soi et l'argent

Vaincre les difficultés financières

Il se peut que vous vous heurtiez à des difficultés financières, comme c'est le cas de bien des gens. Même si vous n'êtes pas personnellement concerné, vous connaissez peut-être quelqu'un qui se trouve dans cette situation. Cela peut aller du gel des salaires à la baisse de la valeur de votre maison, en passant par une perte matérielle totale: emploi, revenu et, par conséquent, résidence. Tout problème relié à l'argent entraîne inévitablement peur et incertitude.

Si vous faites partie du grand nombre de ceux qui connaissent des embarras financiers, ne vous découragez pas. Vous n'en êtes pas nécessairement responsable, car les vieilles règles à ce sujet ne s'appliquent désormais plus. Par contre, vous trouverez peut-être toutes sortes de façons inédites de gagner de l'argent. Quand les vieilles méthodes établies se transforment, il peut sembler y avoir à la fois beaucoup moins et beaucoup plus d'argent.

Si vous n'avez pas l'argent nécessaire, même pour subvenir à l'essentiel, cela peut être extrêmement inquiétant et effrayant. Si vous vous trouvez dans cette situation — comme beaucoup d'autres aujourd'hui sans que ce soit leur faute —, vous avez peut-être le sentiment d'être paralysé, d'être incapable de réagir ou même d'avoir les idées claires et vous avez du mal à vous concentrer sur votre travail ou sur la recherche d'un emploi. Vous vous repliez sur vous-même et vous vous affolez en imaginant les pires scénarios possibles. Ou pis encore, votre réaction consiste à prétendre que tout va pour le mieux dans le meilleur des mondes et à chercher l'oubli dans un excès de nourriture, de boisson, de sommeil ou de télévision. Si vous vivez avec quelqu'un, vous en êtes peut-être rendus à vous décourager mutuellement en amplifiant vos inquiétudes et en vous concentrant sur le problème plutôt que sur les solutions possibles.

❦ *Je me concentre sur les solutions possibles.* ❦

Vous devez vous accrocher à l'idée qu'il existe une ou plusieurs façons de vous tirer de ce mauvais pas. La première étape, et la plus importante, consiste à y croire, surtout lorsque rien ne semble s'améliorer vraiment. C'est un acte de foi qui concorde avec le principe, favorable à votre estime de vous-même, qui consiste à tenir bon en attendant un avenir meilleur, même si les choses se présentent plutôt mal pour l'instant.

Vous devez trouver une façon de supporter les contraintes de votre situation afin de pouvoir poursuivre votre vie et être en mesure de surmonter cette épreuve. Certaines mesures concrètes peuvent vous aider. Rappelez-vous qu'il s'agit simplement d'une *situation*; nul besoin d'en faire un drame émotionnel, même si c'est ainsi que vous la percevez en ce moment.

Il y a des moments où nous avons envie d'abdiquer devant le malheur, où nous avons l'impression que tout va de travers et que nous ne commettons que des bêtises. C'est dans ces moments que vous devez mobiliser votre «muscle mental», votre détermination et votre courage. Vous pouvez prendre la décision de voir les choses sous un jour positif, car cela est toujours possible, peu importe la situation. En même temps, étudiez la meilleure ligne de conduite possible et soyez prêt à l'adopter.

❦ *Ma peur et mon anxiété diminuent quand je me jette dans l'action.* ❦

La vie est une alternance de hauts et de bas. Quand vous êtes fauché, vous vous trouvez dans le creux de la vague sur le plan financier.

Vous pourrez faire face à la musique dans la mesure où vous resterez détendu, quoique l'esprit alerte. Rappelez-vous que votre valeur et votre mérite personnels ne changent pas, quelle que soit votre situation. Cessez de vous blâmer ou de blâmer les autres pour ce qui se passe. Il ne s'agit pas de ne pas demander réparation, de ne pas exiger que l'on règle vos factures ou vous rembourse votre argent. Voyez ce que vous pouvez faire aujourd'hui pour améliorer votre condition. Avant tout, vous pouvez offrir à vos créanciers de les rembourser au moyen de petits versements réguliers. Que pouvez-vous faire aujourd'hui pour augmenter vos revenus ou pour en créer de nouveaux? Quelles mesures concrètes, aussi minimes soient-elles, pouvez-vous prendre?

Gagner plus d'argent

Contrairement à ce que l'on vous a peut-être dit, il est positif de vouloir de l'argent et de le demander! Prenez l'habitude de penser: «Je mérite plus d'argent», «Je veux plus d'argent». On nous a inculqué toutes sortes de principes souvent négatifs concernant l'argent. Par exemple, «L'argent ne fait pas le bonheur», «L'amour ne s'achète pas», «L'argent est la source de tous les maux» ou «L'argent ne pousse pas dans les arbres».

Même si l'argent est souvent associé au statut et à la valeur personnelle, votre vraie valeur est constante et ne dépend pas de votre compte en banque. Idéalement, l'argent doit être à votre service afin que vous puissiez l'employer à des fins utiles et agréables, tant pour vous-même que pour autrui. Vos pensées restrictives et vos peurs, de même que vos vieilles façons de penser, peuvent diminuer votre capacité de gagner de l'argent, d'en profiter et de l'employer à des fins bénéfiques. Chassez ces pensées ou modifiez-les. Échangez-les littéralement contre des pensées plus constructives! Certaines limitations concernant d'autres facettes de votre vie entravent peut-être la quantité d'argent qui vient vers vous. La maladie, le fait d'occuper un emploi que vous n'aimez plus ou qui ne vous convient plus, ou encore une ou plusieurs relations malheureuses peuvent vous pousser à vous refermer et à vous protéger, affaiblissant ainsi votre capacité de recevoir.

❦ *Je suis conscient de ma vraie valeur.* ❦

Tout en vous estimant pleinement, soyez créatif, songez à toutes les façons d'attirer l'argent vers vous, sans vous limiter à vos méthodes actuelles. L'argent peut venir à vous de bien des façons: vous pouvez vendre un produit que vous trouvez bénéfique, vous pouvez gagner quelque chose — un pari sur un match de football, un concours, une loterie —, mais vous devez d'abord vous inscrire! Ouvrez-vous à des façons nouvelles et différentes de gagner de l'argent.

Si vous êtes déprimé ou inquiet, il peut arriver que vous acceptiez à contrecœur une aide pécuniaire ou une occasion de gagner de l'argent. Si vous vous montrez ingrat, les autres penseront que vous n'êtes pas si inquiet que cela, ou que vous ne désirez ni n'appréciez leur aide. Il est important de ne pas gâcher vos chances d'augmenter vos revenus, mais bien d'en créer de nouvelles. Aussi, prenez le temps d'exprimer votre appréciation et votre gratitude. Les remerciements sont toujours appréciés.

Fort de votre estime de vous-même, réfléchissez au montant supplémentaire que vous aimeriez posséder. Il est parfois utile d'avoir un montant précis en tête, qu'il s'agisse d'une somme forfaitaire ou d'un revenu régulier.

Rappelez-vous qu'aucune somme d'argent ne vous procurera automatiquement un sentiment de sécurité ou d'estime de vous-même. Ces sentiments doivent venir de l'intérieur. Si vous commencez par développer votre estime de vous-même et votre sécurité intérieure, vous aurez plus de facilité à accroître vos revenus avec confiance et vous éprouverez aussitôt une sensation de bien-être. En effet, si vous vous estimez, vous n'aurez pas besoin d'attendre que des conditions particulières soient remplies pour être bien dans votre peau et satisfait de votre vie.

❦ *Je m'estime moi-même, quelle que soit ma situation financière.* ❦

L'emploi de votre argent

Pensez à ce que vous feriez si vous étiez plus riche. À quoi servirait votre argent? Quel usage en feriez-vous? Peut-être désirez-vous épargner et investir ou acquérir des biens précis pour vous-même ou pour votre travail. Peut-être désirez-vous suivre un cours de perfectionnement ou développer certaines compétences personnelles ou professionnelles. Dressez une liste. Fixez-vous des buts précis, assignez-vous des échéances et consultez des conseillers financiers indépendants afin d'obtenir tous les renseignements nécessaires. Si vous conservez des doutes sur le fait que vous méritez cet argent ou sur l'usage positif que vous en ferez, clarifiez-les maintenant. Il est indubitable que vous méritez plus d'argent et l'avez toujours mérité. Vous êtes maintenant prêt à le recevoir. Remarquez en quoi l'augmentation de vos revenus vous serait profitable. Soyez conscient aussi des avantages qu'en retireraient les autres.

Écoutez votre intuition

Si vous prenez l'habitude de vous détendre et d'écouter votre intuition, vous saisirez toutes sortes d'indices, de suggestions ou d'éclairs d'inspiration vous indiquant le prochain pas à faire. Écrivez ces suggestions. Voyez si vous pouvez les mettre en pratique. N'oubliez pas que votre intuition vous soufflera des suggestions pouvant paraître anodines, voire même insignifiantes, en ce qui touche les questions pécuniaires ainsi que les autres aspects de votre vie, mais celles-ci vous fourniront une clé importante qui vous aidera à progresser financièrement.

Faites confiance à votre intuition quant au degré de sécurité que vous souhaitez acquérir. Intégrez cet aspect à vos projets et à vos objectifs financiers. Il est important que vous déterminiez avec clarté la somme d'argent que vous voulez et l'usage que vous en ferez. Votre intuition vous indiquera de quelle façon vous pouvez employer votre argent pour en profiter vous-même et en faire profiter les autres, en accord avec votre nouvelle estime de vous-même et les attentes qui en découlent à juste titre.

❦ *Mes revenus supplémentaires me sont bénéfiques.* ❦

De l'argent de surcroît

Si vous avez l'impression de quitter un mode de «survie», il est particulièrement salutaire pour votre estime de vous-même que votre argent vous soutienne et travaille pour vous. Vous voudrez sans doute employer votre argent avec un maximum de flexibilité dans le présent, associé à une sécurité à long terme. Vous devrez faire preuve de clarté pour conserver le niveau de vos dépenses bien en-deçà de vos revenus. Quand son revenu augmente, il est facile d'accroître ses dépenses, d'acheter tout en plus gros et en mieux de sorte qu'on se retrouve comme avant, sans argent économisé.

Sans en faire une obsession qui occupe tout votre temps, donnez-vous comme priorité d'en apprendre le plus possible sur les meilleures façons de gérer votre argent et d'en obtenir un rendement maximal. Si vous visez la sécurité et l'indépendance financières, calculez la somme dont vous avez besoin et étudiez les moyens de l'amasser. Comprenez que vous méritez cette abondance qui enrichira votre vie et celle des autres.

❦ *Je suis reconnaissant de la richesse et de l'opulence présentes dans ma vie.* ❦

Cible personnelle

Faites face aux embarras financiers

1. La première étape consiste à croire en vous-même, à croire qu'il existe un moyen de vaincre vos difficultés et que vous trouverez ce moyen. Il est extrêmement important d'y croire et d'avoir confiance. Vous pouvez vous aider en imprimant une tournure positive à toutes vos pensées. Écrivez-les ci-dessous.

2. Dressez la liste des personnes à qui vous devez de l'argent ainsi que des montants dus. Cessez consciemment de vous blâmer et vous résoudrez la situation plus tôt que vous ne le croyez. Calculez maintenant ce que vous pouvez vous permettre de rembourser, même en

petits versements. Commencez par les paiements essentiels comme l'hypothèque, le loyer et les services publics. Ne surestimez pas les montants que vous pouvez payer, pour ensuite vous culpabiliser parce que vous n'arrivez pas à les respecter. Si cette tâche vous bouleverse, demandez l'aide d'un ami en qui vous avez confiance et qui pourra s'en acquitter avec un détachement relatif. Vous n'avez pas besoin d'un conseiller financier.

Vous devez à tout prix expliquer votre situation à vos créanciers et leur donner une idée réaliste du moment où vous pourrez les rembourser et des montants que vous pouvez payer (ils accepteront peut-être de petits versements réguliers).

3. Projetez l'idée que vous aurez cet argent. Pensez à tout ce que vous pouvez faire pour gagner de l'argent et attelez-vous à la tâche aujourd'hui même.

4. Ne manquez pas d'apprécier d'autres facettes de votre vie, car il y a encore bien des choses auxquelles vous pouvez prendre plaisir. Peut-être en deviendrez-vous plus conscient. Soyez à l'écoute de votre intuition pour connaître la meilleure façon d'aller de l'avant. Elle vous fournira des indices pour le présent et l'avenir ou vous ouvrira de nouvelles perspectives.

Gagnez plus d'argent

1. Écrivez la somme d'argent supplémentaire que vous désirez. Il peut s'agir d'un montant forfaitaire ou d'un revenu annuel ou mensuel. Modifiez cette somme s'il y a lieu après avoir fait les deux exercices qui suivent.

2. Quel usage comptez-vous faire de cet argent? Dressez la liste de vos besoins et des montants nécessaires pour les combler. N'essayez pas, pour l'instant, de déterminer comment attirer cet argent à vous.

3. De quelles façons pouvez-vous gagner de l'argent? Quand vous vous détendez, quelles sont les idées qui vous viennent à l'esprit? Que devez-vous faire pour les concrétiser? Que pouvez-vous mettre en pratique? Voyez-vous d'autres façons d'attirer de l'argent vers vous? Écrivez toutes vos idées.

4. Écrivez ce que vous comptez faire maintenant.

Une richesse accrue

1. Décrivez par écrit les progrès de votre situation sans omettre aucun détail. Relisez-vous et corrigez toute omission.

2. Fixez-vous de nouveaux objectifs financiers pour ce qui a trait à vos revenus supplémentaires.

3. En vous fiant à votre intuition et en vous détendant, ouvrez-vous à de nouvelles perspectives. Notez les suggestions ou intuitions qui vous viennent à l'esprit concernant les mesures à prendre et les gens avec qui vous mettre en rapport, puis passez à l'action sans plus tarder. En élaborant des mesures concrètes, tenez compte de tout ce que vous voulez faire et vous donner ainsi que du montant dont vous disposez maintenant et que vous toucherez dans le futur.

4. L'essentiel, c'est de continuer de «penser» comme une personne riche et de «vous sentir» riche, tout en éprouvant de la gratitude pour cette richesse. Évoquez des sentiments de sécurité et de réussite. Exprimez votre reconnaissance.

Exercices de détente

ATTIREZ L'ARGENT QUE VOUS VOULEZ

Installez-vous confortablement et détendez-vous autant que vous le pouvez. Votre respiration est normale et détendue. Visualisez maintenant un lieu magnifique, réel ou imaginaire, où vous vous sentez en sécurité. Ressentez votre courage, votre sécurité intérieure, votre certitude de pouvoir surmonter vos difficultés. Mobilisez votre courage et écoutez votre intuition pour connaître la ligne de conduite à adopter.

Chassez vos vieilles pensées négatives et restrictives, et remplacez-les par des pensées constructives. Quelles sont ces pensées? Laissez-les vous pénétrer et sentez que vous méritez une meilleure sécurité financière, que l'argent coule maintenant vers vous. Vous gagnez suffisamment d'argent, plus qu'il ne vous en faut même pour subvenir à vos besoins essentiels et faire d'autres projets.

Écoutez votre intuition. Vous vient-il d'autres idées utiles? Sortez lentement de votre détente et écrivez ce que vous comptez faire et quand vous le ferez.

EXPÉRIMENTEZ UNE RICHESSE ACCRUE

Voyez en particulier comment votre fortune vous profite à vous-même ainsi qu'aux autres! Maintenant que vous êtes plus riche, imaginez une journée de votre vie: représentez-vous-la, voyez ce que vous faites, quels milieux vous fréquentez, dans quel environnement vous vous trouvez. Voyez comme vous avez l'air détendu et heureux, comme vous vous sentez sûr de vous et accompli, ou encore imaginez tous les sentiments agréables que vous éprouveriez dans ces circonstances. Observez les détails: mieux vous les imaginerez, meilleure sera votre situation. Écoutez votre intuition pour connaître ce qu'il vous serait utile de savoir ou de faire. Les réponses vous viendront sous forme d'allusions, de murmures, de suggestions. Une fois l'exercice terminé, notez toutes les idées ou mesures pratiques qui vous traversent l'esprit.

Septième partie

L'estime de soi et le travail

13

Votre emploi et les changements au travail

Votre emploi et votre estime de vous-même

Il est essentiel pour votre estime de vous-même et votre bien-être que vous trouviez un travail que vous aimez et qui vous remplit d'énergie et d'enthousiasme. Vous devez pouvoir contempler les résultats de vos efforts et votre apport personnel. Cela est important non seulement en raison du laps de temps que vous passez au travail, mais encore parce qu'il existe une relation étroite entre votre estime de vous-même, votre bien-être et votre travail.

Tout cela est très bien, direz-vous, mais cela ne s'applique pas à moi, car je ne suis pas en mesure de trouver quelque travail que ce soit en ce moment. Tout dépend, cependant, de votre point de vue. Cela peut vous sembler difficile si vous êtes sans emploi ou détestez celui que vous occupez en ce moment. Pourtant plus vous serez optimiste et prendrez du recul par rapport à votre situation, plus vous pourrez vous aider. Rappelez-vous que votre contribution à n'importe quel travail ou projet est unique et dépasse de loin le titre de votre emploi. Vous êtes unique et spécial peu importe votre statut ou la description de votre poste.

Vous pouvez accomplir n'importe quel travail ou presque d'une manière qui renforce votre estime de vous-même, ce qui, bien sûr, est excellent aussi pour vos employeurs et vos collègues de travail. De plus, vous en tirerez davantage de stimulation et de satisfaction que si vous l'accomplissiez avec tiédeur. Même si vous n'êtes pas certain d'occuper l'emploi idéal ou que vous désirez changer d'emploi, mettez du cœur à l'ouvrage pendant que vous y êtes. Vous vous sentirez mieux. Il n'est pas rare que l'on se sente déprimé au travail juste avant d'éprouver la nécessité d'un changement. Si c'est votre cas, vous pouvez mettre à profit vos moments de loisir pour réfléchir au travail qui vous plairait vraiment.

❦ *J'ai une contribution unique à apporter.* ❦

Le monde du travail en transformation

Il se peut que vous affrontiez de grands bouleversements au travail et que vos espoirs de trouver un emploi aient été déçus. L'époque où l'on entrait dans une organisation pour y travailler pendant des années, voire même toute sa vie, est révolue. Comme les grandes sociétés rationalisent leurs activités et font de plus en plus appel à des agences extérieures, les travailleurs se retrouvent au chômage, sont réaffectés ou embauchés en vertu de contrats à court terme, ils sont forcés de choisir une seconde carrière ou de travailler à leur propre compte.

Comme le travail et l'argent sont étroitement liés dans l'esprit de la plupart des gens, cela porte peut-être un double coup à votre sécurité intérieure. Il se peut que, même après avoir pris les dispositions nécessaires, vous vous retrouviez dans une situation alarmante sans que ce soit votre faute. La peur prend parfois le dessus dans les moments de changement structurel et financier. Bien des gens sont inquiets et effrayés au travail, et cela les pousse à adopter des comportements souvent inacceptables, comme de rudoyer les autres ou les blâmer. Les cadres et les autorités ont le devoir de bien gérer leur énergie et d'intégrer leur peur, leur colère et leur sentiment d'impuissance afin de pouvoir aider les autres à faire de même. Ressentez vos émotions chez vous, en privé, et laissez-les se transformer. Aussi désastreuse que la situation vous paraisse, vous devez à tout prix vous détendre, avoir confiance et vous montrer optimiste. Bien sûr, vous devez élaborer de nouvelles stratégies pour l'avenir, mais réfléchissez également à ce que vous pouvez faire aujourd'hui même pour améliorer votre situation. Ménagez-vous des moments agréables: allez marcher dans le parc, détendez-vous dans un bain ou parlez à un ami qui vous appuie. Tout en passant en revue votre journée, voyez comment vous pouvez, par exemple, vous acquitter de vos tâches sans ressentir de stress. C'est justement le moment de parer au stress et de faire les choses à votre manière.

D'une part, votre sentiment de sécurité est érodé, d'autre part, vous avez la chance de développer la seule vraie sécurité qui soit, en l'occurrence celle qui vient de l'intérieur. Bien des travailleurs, qui se sont sentis ligotés pendant trop longtemps, voient ce bouleversement des vieilles conventions comme un sursis par rapport à l'ancien monde du travail où les règles pouvaient paraître statiques et rigides. Aujourd'hui, il existe une profusion de nouvelles méthodes de travail qui offrent un nombre quasi infini de possibilités.

❦ *Je trouve ma vraie sécurité en moi-même.* ❦

Trouvez le travail qui vous convient

Si vous faites un travail que vous aimez et qui fait appel à vos talents et aptitudes uniques, vous êtes heureux, sûr de vous et conscient de donner un excellent service. Chérir son travail est l'une des choses les plus favorables qui soient pour l'estime de soi-même. Vous ne pouvez vous estimer constamment si vous occupez un emploi qui ne vous convient pas. Pour déterminer le travail qui vous plairait le plus, vous devez non seulement regarder au dehors, mais surtout diriger votre regard vers l'intérieur pour remarquer ce qui vous stimule et vous fait plaisir. Écoutez votre intuition: à coup d'allusions, de chuchotements, de rêves ou de rêveries, elle vous fournira des indices que vous pourrez agencer pour former une image plus complète. Lorsque vous songez au travail qui serait idéal pour vous ou que vous vous imaginez en train d'accomplir ce travail, prenez des notes, puis déterminez les moyens à prendre pour concrétiser cet idéal.

Il est important de trouver un travail que vous aimez, non seulement pour votre propre satisfaction et votre estime de vous-même, mais aussi pour apporter une contribution à la société. Nous aidons ainsi à faire du monde un endroit où il est toujours meilleur de vivre, que ce soit pour notre entourage ou pour un plus large segment de la population.

Il n'est pas toujours essentiel de changer d'emploi quand les choses ne tournent pas rond. Vous pouvez peut-être opérer des changements et ajouter de nouvelles dimensions à votre emploi actuel. Si le problème auquel vous vous heurtez touche une relation avec un collègue, sa résolution peut faire toute la différence du monde et vous permettre de reporter toute votre énergie sur votre travail afin d'aller de l'avant. Si toutefois vous avez fait votre possible pour arranger les choses et n'êtes toujours pas satisfait, vous seriez bien avisé de chercher un autre emploi, surtout si le problème s'éternise. Dans cette optique, vous devrez peut-être suivre une formation supplémentaire ou acquérir de l'expérience, mais il peut être utile de visualiser, de rêver à l'emploi que vous aimeriez vraiment exercer et de remarquer quels aspects sont essentiels à vos yeux.

❦ *J'écoute mon intuition pour connaître le travail qui serait idéal pour moi.* ❦

Quels éléments comptent le plus à vos yeux? Comment pourriez-vous vous en rapprocher? S'il y a un domaine qui vous électrise ou vous passionne — que vous soyez satisfait de voir que tout va bien ou que vous soyez irrité par les procédés employés — prêtez attention à vos sentiments. Il peut s'agir d'un projet mis en œuvre dans votre région ou dans une région éloignée, mais dont vous entendez parler chaque soir à la télévision. Remarquez les aspects qui vous dérangent le plus; par exemple, le recours aux menaces, la destruction de l'environnement ou l'emploi inefficace des ressources financières. Vous pourriez peut-être trouver un emploi tout près de chez vous, dans un domaine qui vous intéresse; au sein d'un organisme humanitaire, par exemple.

Néanmoins, il n'est pas toujours nécessaire ni même souhaitable de changer d'emploi dans le seul but de «sauver le monde». Le personnel d'une importante société qui a recours à nos services se souciait du bien-être des sans-abri. Ses membres s'entendirent avec un organisme humanitaire de la région pour leur distribuer de la nourriture et des vêtements une fois par mois. Ils font campagne, à l'heure actuelle, pour attirer l'attention sur le problème et stimuler la recherche de solutions. Si vous vous passionnez pour une question, vous avez de bonnes chances de trouver un organisme local qui œuvre activement dans ce domaine et accueillerait avec plaisir votre concours, votre temps et vos talents, même un soir ou un après-midi par mois.

❦ *Désormais, je sais ce que je peux faire pour m'aider moi-même et aider les autres.* ❦

Cible personnelle

Votre emploi actuel

Peu importe votre situation courante, répondez aux questions ci-dessous par écrit:

1. Quels aspects de votre emploi actuel vous satisfont? Pourriez-vous y accorder plus de place?

2. Quels aspects de votre emploi actuel vous déplaisent? Pouvez-vous y apporter des améliorations?

3. Que pouvez-vous faire d'autre, dans le cadre de votre emploi actuel, pour rendre votre travail plus intéressant? Notez vos observations et passez à l'action. Que pouvez-vous faire aujourd'hui même?

4. Le cas échéant, quelles personnes sont susceptibles de vous aider ou de vous soutenir dans vos efforts?

5. Y a-t-il quelqu'un au travail à qui vous pouvez exprimer votre appréciation ou fournir un appui supplémentaire? Prenez la décision de le faire.

6. Voyez-vous la possibilité de consacrer un peu de temps à un travail bénévole ou créatif qui vous attire?

7. Quelles sont les pensées les plus favorables à votre estime de vous-même que vous puissiez nourrir? Écrivez ces pensées et répétez-les. Par exemple: «Je réussis de mieux en mieux», «Ma contribution est importante», «J'ai du mérite».

Les changements au travail

1. Quels changements subissez-vous au travail? Décrivez-les ci-dessous sous la forme d'une situation, et non d'un drame émotionnel.

Maintenant, décrivez ce que vous ressentez face à cette situation. Si vous avez tendance à vous blâmer vous-même ou à accuser quelqu'un d'autre, renoncez-y; vous pouvez, par contre, amplifier vos sentiments de joie et d'enthousiasme.

2. Quelles sont les vraies sources de sécurité dans votre vie? Ce peut être, par exemple, votre lien avec votre intuition et avec les êtres qui vous sont chers. Notez de quelle façon vous pouvez compter sur ces sources de sécurité.

Plus vous vous concentrerez sur votre sentiment de sécurité et d'équilibre, plus ce sentiment sera vif. Choisissez maintenant la paix de l'esprit.

Exercices de détente

L'HARMONIE AU TRAVAIL

Imaginez-vous au travail, dans une atmosphère d'harmonie et de collaboration; observez tout ce qui fonctionne bien. La confiance règne. Voyez si vous pouvez donner et recevoir du soutien. En vous fiant à votre intuition, voyez en quoi vous pouvez améliorer votre concours. Soyez conscient de ce que vous pouvez faire et de ce que vous avez besoin de connaître.

PASSER À TRAVERS LE CHANGEMENT

Tout en vous détendant, voyez-vous en train de passer sans problème à travers un changement. Avec confiance, imaginez que vous décelez la possibilité d'influencer la situation. Écoutez votre intuition et demandez-vous si vous pouvez faire quelque chose pour améliorer la situation ou la considérer dans une optique plus globale. Une fois cet exercice terminé, vous pouvez prendre des notes et demeurer en contact avec votre intuition.

14

Faire face au licenciement et au chômage

Le licenciement

Si vous perdez votre emploi, vous en ressentirez un choc en dépit du fait que de plus en plus de travailleurs se voient licenciés, réaffectés ou engagés en vertu de contrats à court terme. Même si cela est courant de nos jours, cette situation n'en est pas moins affligeante. On a beau vous dire que cela n'a rien à voir avec vous, que des coupures économiques sont nécessaires, vous avez du mal à ne pas vous sentir visé personnellement, surtout si vous étiez depuis longtemps à l'emploi d'une organisation. Il se peut que vous soyez déprimé, que votre avenir vous inquiète et que votre estime de vous-même en prenne un coup. Il est normal dans ces circonstances de mettre en doute sa valeur personnelle et son mérite. Vous doutez de vous-même et pensez que vos supérieurs ont vraiment une mauvaise opinion de vous pour vous faire une chose pareille. Il se peut que votre opinion de vous-même en souffre, aussi est-il important de vous rappeler aussitôt que, quels que soient vos sentiments du moment, votre valeur personnelle et votre mérite demeurent intacts. Votre vraie valeur ne dépend pas de votre situation professionnelle ou financière.

❦ *Je me rappelle que j'ai une grande valeur, quelle que soit ma situation professionnelle.* ❦

Réduisez votre stress

Les changements imposés, tels que le licenciement ou la réaffectation, peuvent nous stresser et il est important de contrer l'incertitude et la peur qu'ils engendrent par des mesures visant à réduire notre stress physique, mental et émotionnel. Pour ce faire, il est essentiel que vous renforciez votre estime de vous-même surtout si vous vous préparez à passer des entrevues et à prendre des décisions concernant votre travail, ainsi que pour conserver votre motivation au jour le jour. Faites une guerre impitoyable à vos modèles de pensée destructeurs, affermissant de la sorte une façon de penser positive. Il se peut aussi que, dans vos moments de loisir, vous bouillonniez de colère et de ressentiment face à votre mise à pied. Vous devez à tout prix apprendre à intégrer ces émotions et à utiliser leur pouvoir, si vous voulez finir par accepter votre licenciement. Apprenez à reconnaître vos émotions. Acceptez-les et ressentez-les. Ainsi, elles se transformeront, réduisant le stress et l'épuisement qu'entraînerait le fait de les refouler ou de les exprimer de façon inopportune. On a souvent l'impression, dans les moments d'incertitude, que les autres ne nous comprennent pas ou ne nous appuient pas, que ce soit le cas ou non. Par-dessus tout, chassez votre ressentiment. Il est particulièrement important de traiter les autres avec respect et encouragement lorsqu'on se sent tendu. Laissez tomber vos jugements et vous pourrez plus facilement passer à autre chose.

❦ *Je suis patient envers moi-même et envers les autres.* ❦

Pour diminuer votre tension, apprenez les étapes de la technique de détente et mettez-les en pratique chaque jour. Ajoutez un exercice modéré à votre programme de détente et mangez des aliments nutritifs qui conviennent à votre métabolisme. Si votre situation financière vous inquiète, n'ayez pas peur de solliciter l'aide de vos amis et de votre famille ou de demander l'avis d'experts. Rappelez-vous que chaque aspect de votre vie — votre corps, votre famille, vos amis, vos passe-temps et vos moments de solitude — déteint sur les autres. Vérifiez l'importance que vous accordez à chacun d'eux. Il est crucial à ce moment-ci de maintenir un équilibre dans votre vie et de prendre soin de vous-même. C'est quand vous êtes détendu que vous êtes à votre meilleur.

Déterminez votre but dans la vie

Il est essentiel aussi que vous ayez un but, que vous établissiez vos valeurs et objectifs globaux en ce qui concerne votre vie professionnelle. Ce but doit toucher et régir vos activités journalières. Vous pouvez le réviser et le raffiner, mais qu'il vous serve de rappel quotidien. Notez celles de vos qualités — votre courage, votre détermination, votre créativité, par exemple — qui sont susceptibles de garantir votre réussite. Concentrez votre attention sur les objectifs qui correspondent à votre but et vous stimulent. Fixez-vous des objectifs, tant à court terme qu'à long terme, et déterminez les mesures à prendre pour les réaliser.

Créez un réseau-contacts dans le cadre de votre recherche d'emploi

Bien sûr vous informez vos amis, votre famille, vos relations et vos anciens collègues de travail que vous cherchez un emploi qui vous convienne, mais n'hésitez pas aussi à vous rendre dans les endroits où peuvent se retrouver des «employeurs». Il peut être utile de visiter les salons de recrutement, mais assurez-vous qu'ils touchent les domaines qui vous intéressent. Les congrès, les séminaires, les clubs de gens d'affaires et peut-être la Chambre de Commerce peuvent aussi vous aider. Comme il vous faudra peut-être adhérer à certains de ces organismes, faites imprimer de simples cartes d'affaires portant votre nom, votre adresse et votre numéro de téléphone. Vous n'avez pas besoin d'y préciser ce que vous faites, mais cette carte est fort utile pour «huiler» les rouages sociaux en affaires. Si vous êtes à la maison ou avez été muté dans un service de réaffectation, vous devrez aussi faire des démarches, tout en ratissant chaque jour journaux et magazines spécialisés. Il existe d'autres moyens de trouver un emploi et vous les découvrirez en échangeant des informations avec toutes les personnes que vous rencontrez. Écrivez aux compagnies pour exprimer votre intérêt. Avant d'écrire, demandez à la standardiste le nom de la personne avec qui vous devez entrer en rapport. Puis faites suivre votre lettre d'un appel téléphonique. Si vous paraissez enthousiaste plutôt que soucieux et inquiet, les personnes que vous rencontrerez seront davantage enclines à envisager votre candidature et à vous mettre en relation avec des personnes utiles.

❦ *Je m'ouvre à de nouvelles perspectives.* ❦

Demeurez motivé

Vous pouvez certainement trouver des possibilités plus passionnantes et plus satisfaisantes. Ayez confiance en vous-même et en votre capacité de réussir, et rendez-vous compte que vous visez véritablement un but dans la vie. Il faut du courage et de la patience pour passer à travers les changements et les périodes difficiles. Il existe un travail et une façon de travailler qui vous sont propres et vous les découvrirez. N'oubliez pas de vous traiter avec ménagement tout en étant déterminé à réussir.

Prenez conscience de votre valeur si vous subissez une réaffectation ou un licenciement. Il est tellement facile de se déprécier. La réalité, c'est que vous possédez une grande valeur ainsi que des qualités et aptitudes uniques, peu importe votre situation professionnelle. Soyez conscient de la valeur de ce que vous avez à offrir: celle-ci est constante et ne change pas même si votre situation professionnelle se transforme. Cette confiance en vous-même constitue votre «curriculum vitae intérieur» et est aussi cruciale dans une entrevue d'emploi que tout ce que vous possédez sur papier. Le fait de renforcer votre confiance en vous-même peut influencer positivement tant votre attitude durant cette période de changement que les résultats qui suivront.

❦ *Je crois en moi-même.* ❦

Trouver un emploi

S'il y a longtemps que vous êtes au chômage ou si vous n'avez encore jamais été sur le marché du travail — comme c'est le cas de bien des jeunes — développez votre estime de vous-même, examinez quel travail vous attire vraiment, puis lancez-vous.

Vous avez du temps devant vous, et bien que vous puissiez voir celui-ci comme un ennemi, il peut très bien se révéler votre allié. Nul doute qu'il vous faudra du courage pour combattre les aspects négatifs du chômage ou de l'inexpérience en matière de travail. Puisque vous lisez ce livre-ci, vous possédez déjà le courage et l'intérêt nécessaires. Aussi, réfléchissez au travail qui vous intéresse. Pourriez-vous commencer tout de suite ou avez-vous besoin d'une formation? Envisageriez-vous de déménager dans une région où vous pouvez faire ce travail?

Voyez si vous pouvez concevoir un but pour vous-même. Êtes-vous attiré par un travail que vous aimeriez vraiment? Que rêvez-vous de faire? Quels sont vos éclairs d'inspiration, vos intuitions, vos pressentiments? Mettez-les par écrit et voyez ce que vous pouvez faire au jour le jour pour progresser vers votre but. Déterminez vos objectifs à long terme, mais fixez-vous également une discipline hebdomadaire, et quotidienne même: vous pourriez par exemple vous inciter à donner trois coups de fil, à écrire deux lettres et à améliorer la forme de votre curriculum vitae. Ne déclarez jamais forfait.

Vous pouvez changer d'idée quant à ce que vous voulez pour vous-même, mais ne cessez jamais de croire en vous. Vous méritez l'emploi bien rémunéré auquel vous aspirez. Penchez-vous sur les aspects pratiques de votre situation. Y a-t-il un emploi que vous pourriez occuper entre temps pour subvenir à vos besoins, tout en étant libre de suivre une formation ou d'accomplir un travail bénévole qui vous rapprocherait de votre objectif final?

Vous aurez besoin de détermination, surtout si vous êtes entouré de personnes qui se trouvent dans la même situation que vous, en d'autres mots, au chômage, et qui sont pessimistes. Faites votre possible pour ne pas vous laisser abattre. Recherchez la compagnie de personnes positives, qui peuvent vous soutenir et que vous pourrez aussi aider à demeurer positives et optimistes. Ne sous-estimez jamais le pouvoir du travail intérieur et des mesures concrètes que vous prenez. Vous pouvez cultiver une force, une confiance en vous et un courage qui vous seront précieux lorsque vous trouverez l'emploi que vous cherchez.

❦ *Mon courage et ma détermination m'apportent le succès.* ❦

Cible personnelle

De nouvelles perspectives reliées au licenciement et au chômage

1. Pour établir votre «curriculum vitae intérieur», dressez la liste de toutes vos qualités, talents et accomplissements, que vous les ayez ou non mis à contribution dans le cadre de votre dernier emploi. Faites ressortir ceux que vous appréciez le plus. Tenez compte de vos qualités personnelles.

2. Jour après jour, choisissez des pensées constructives; continuez de vous approuver. Écrivez certaines de ces pensées.

3. Peut-être que vous vous accusez vous-même ou que vous blâmez quelqu'un pour votre situation actuelle. Débarrassez votre système de ces blâmes en écrivant toutes les «fautes» commises, selon vous, puis rassemblez votre énergie et votre attention en décidant de ne plus blâmer personne. Écrivez: «Je choisis désormais de ne plus blâmer et je vais de l'avant avec énergie et enthousiasme.»

4. Prenez soin de vous. Vous êtes votre atout le plus précieux. Combattez le stress et équilibrez votre vie. Que pouvez-vous faire à cet égard?

5. Décrivez votre «but dans la vie» et votre idéal professionnel. Puis, cherchez un emploi conforme à cet idéal ou mettez sur pied votre propre entreprise.

6. À quels séminaires, congrès professionnels ou expositions pouvez-vous assister afin de nouer des relations utiles? Emportez votre carte d'affaires avec vous.

7. Écrivez vos objectifs à court et à long terme.

8. Vous avez besoin de variété au jour le jour. Écrivez les tâches dont vous pouvez vous acquitter sans stress: donner trois coups de téléphone, écrire une lettre, consulter journaux et périodiques, passer une entrevue, assister à une réunion, effectuer une visite.

Exercice de détente

Créez de nouvelles perspectives

Suivez la technique de détente, décontractez votre corps, mettez-vous à l'aise, respirez normalement mais d'une façon détendue et rendez-vous en pensée dans le lieu calme et magnifique de vos rêves. Sentez que vous attirez vers vous le travail et la rémunération idéaux. Imaginez-vous dans un emploi que vous aimez et occupez avec confiance et enthousiasme, tout en mettant à contribution vos compétences et qualités uniques. Imaginez à quoi ressemble ce travail et ce que vous ressentez en l'accomplissant. Visualisez-le. Sentez que vous attirez à vous les personnes et circonstances utiles. Écoutez votre intuition pour savoir ce que vous avez de mieux à faire. Soyez ouvert à ses suggestions, tout en vaquant à vos occupations quotidiennes, puis notez-les et agissez en conséquence. Maintenant ouvrez doucement les yeux.

15

Réussir comme travailleur autonome

Dans le monde moderne du travail où les coupures et les pressions sont nombreuses, une situation jadis jugée incertaine — travailler à son propre compte — peut en fait vous apporter une sécurité accrue. En étant responsable de vous-même, de votre présent et de votre avenir, vous cessez de dépendre totalement ou en partie des caprices et de l'instabilité des autres.

Pour travailler à votre compte et mener votre petite entreprise vers la prospérité, vous devez avoir une excellente opinion de vous-même, vous devez croire en vous-même et en vos capacités. Vous avez besoin d'enthousiasme, de vitalité, d'une bonne connaissance des affaires ou de conseils financiers. Par-dessus tout, tant pour réussir financièrement que pour votre satisfaction personnelle, vous devez aimer votre travail. Profitez de la profusion d'informations disponibles sur le travail autonome. Mais l'une des choses les plus utiles que vous puissiez apprendre et que l'on n'enseigne jamais dans ces cours, consiste à écouter votre intuition. Celle-ci peut se révéler une source précieuse de conseils et d'inspiration concernant la façon de lancer votre propre entreprise et de la faire prospérer.

❦ *J'écoute mon intuition afin de connaître*
la ligne de conduite à adopter. ❦

Prenez soin de vous-même

Rappelez-vous que vous êtes votre atout le plus précieux. Vous devez à tout prix conserver la santé, c'est-à-dire non seulement être exempt de maladie, mais encore déborder de santé et de vitalité. Faites le nécessaire pour demeurer en forme et intégrez cela à votre routine quotidienne. Cela englobe bien sûr votre alimentation. Ne laissez pas le stress s'accumuler en vous, combattez-le au jour le jour. Quelques minutes de détente, une courte promenade, prendre conscience du moment où vous devenez tendu, tout cela peut vous aider. Vous serez mieux à même de diriger votre entreprise si vous faites bien attention à vous.

❦ *Je prends soin de moi-même,*
car je suis mon plus précieux atout. ❦

Bâtissez votre entreprise

Si vous travaillez à votre compte depuis peu, après avoir occupé un emploi à temps complet, vous serez peut-être la proie de toutes sortes d'émotions déroutantes. Reconnaissez ces sentiments afin de pouvoir les assimiler et vous concentrer sur votre entreprise. Si vous rencontrez des difficultés, renoncez à vous blâmer vous-même et à condamner les autres, lâchez prise, apprenez votre leçon et allez de l'avant. Entourez-vous d'associés et de collègues positifs qui partagent la même vision que vous, même si leurs aptitudes, savoir et domaines de compétence diffèrent des vôtres. Le plus important, c'est que vous puissiez leur faire confiance. Tenez compte de l'aspect financier dans l'établissement de vos objectifs à court et à long terme. Si vous paniquez soudain au sujet de votre situation financière, branchez-vous sur le courage que vous manifestez déjà en accomplissant un travail autonome. Étudiez les mesures que vous pouvez prendre aujourd'hui même pour gagner de l'argent et développer votre entreprise.

Faites en sorte que le but de votre travail soit si passionnant et si agréable pour vous, et si important pour les autres, que rien ne puisse vous arrêter. Comme vous travaillez à votre compte, vous devez à tout prix vous ménager des moments de solitude, écouter votre intuition régulièrement, réfléchir aux prochaines phases de votre travail. En évitant de vous lancer à l'aveuglette, vous épargnerez temps, argent et énergie. Il va de soi que vous devez mettre vos plans en œuvre avec confiance.

❦ *J'attire à moi les collègues, associés et clients qu'il me faut.* ❦

Équilibrez votre vie

Les travailleurs autonomes sont souvent portés à travailler de longues heures, et s'ils dirigent leur entreprise depuis leur résidence, le travail peut déborder de l'horaire normal. Si vous organisez consciemment votre travail de cette façon, cela est très bien et parfois nécessaire pour venir à bout de votre tâche, mais ne laissez pas cela se produire malgré vous. Par-dessus tout, surveillez votre santé et conservez votre vitalité. Il est essentiel que vous vous réserviez des congés et passiez du temps avec vos amis et votre famille. Évadez-vous quelques jours ou toute une semaine; un bref congé n'exige pas de préparatifs excessifs et vous évite d'avoir une montagne de boulot à abattre à votre retour. Vous devez avant tout apprendre à vous détendre chaque jour.

S'estimer pour réussir

L'estime de soi-même est essentielle aux travailleurs autonomes, car elle soutient leur motivation tout en les aidant à vendre leurs produits et services. Dans les moments où vous sentez votre motivation vaciller, revenez à vos croyances fondamentales sur vous-même. Rappelez-vous que vous apportez des qualités uniques à votre travail. Songez en outre à ce qui fait l'unicité de votre contribution.

❦ *J'ai confiance en moi et je réussis.* ❦

Cible personnelle

1. Élaborez votre plan d'exploitation pour les cinq prochaines années. Quels objectifs voulez-vous atteindre en termes de commerce et de ventes? Avec combien de personnes voulez-vous travailler? Ne négligez pas l'aspect financier et indiquez clairement le bénéfice net et brut que vous désirez réaliser. Vous pouvez modifier ces montants, s'il y a lieu, pour tenir compte de la modification de divers aspects. Notez ces données dans un carnet ou utilisez votre ordinateur.

2. Décrivez vos projets et objectifs pour les trois prochains mois, mois par mois, puis semaine par semaine, et revoyez-les à mesure que vous approchez de l'échéance. Prévoyez aussi les revenus que vous voulez toucher. Vous devez vous fixer des buts tant à court qu'à long terme. Notez ces données dans votre carnet.

3. Quelle action concrète pouvez-vous accomplir aujourd'hui même pour augmenter vos revenus? Par exemple, avez-vous des clients satisfaits à qui vous pouvez demander des références ou pouvez-vous communiquer avec la presse pour annoncer vos services?

4. Si vous étiez l'un de vos clients, quelles sont les améliorations que vous aimeriez voir apporter à vos services? Posez-vous la question, puis agissez en fonction de votre réponse.

5. Une fois encore, décrivez votre but dans la vie, le contexte plus général dans lequel s'inscrivent vos actions. Que souhaitez-vous accomplir? En quoi vos actions d'aujourd'hui concordent-elles avec votre but?

6. Rappelez-vous votre motivation. Pourquoi voulez-vous réussir? Quels avantages en retirerez-vous personnellement et en quoi les autres en profiteront-ils?

7. En ce qui a trait à votre santé, décrivez une mesure bénéfique que vous pourriez prendre cette semaine touchant la détente, l'alimentation et un exercice modéré que vous aimeriez faire. Examinez des façons de stimuler votre vitalité.

8. Que pouvez-vous faire pour équilibrer votre vie? Y a-t-il des personnes que vous aimeriez voir, une activité créatrice à laquelle vous aimeriez vous livrer? Quelles possibilités s'offrent à vous?

Exercice de détente

Détendez votre corps. Pour vous décontracter encore davantage, songez à un endroit merveilleux que vous connaissez ou inventez-en un, au bord d'une rivière ou de la mer peut-être. Puis imaginez-vous en pensée: vous avez l'air bien, vous réussissez dans toutes vos entreprises, vous êtes en contact avec votre intuition. Maintenant voyez-vous au travail et imaginez que vous augmentez votre chiffre d'affaires. Imaginez que cela se produit sans heurts, que vous avez la situation bien en main, que vous touchez les revenus que vous voulez et menez une vie équilibrée. Émettez à l'avance des pensées bienveillantes pour faciliter votre progression. Consultez votre intuition pour savoir s'il y a quelque chose en particulier que vous devriez faire ou savoir. Une fois l'exercice terminé, notez vos objectifs ou tout autre détail dont vous aimeriez vous souvenir. Identifiez les mesures concrètes à prendre et passez à l'action.

16

Votre but — trouver le travail idéal

Déterminer ce que l'on veut vraiment accomplir dans la vie est l'une des choses les plus importantes que l'on puisse faire pour soi-même. Vous pourrez, avec le temps, redéfinir, épurer et clarifier vos objectifs avant de déterminer vos buts à court terme et votre ligne de conduite. Vous devrez faire preuve de patience et de persévérance; il vous faudra peut-être développer certaines compétences, suivre une formation spécialisée ou acquérir une expérience de travail et de vie pour étayer le but que vous vous êtes fixé qui sera en constante évolution.

Il n'est jamais utile de se comparer à quelqu'un d'autre, même si celui-ci occupe le même poste que soi. Vous êtes unique. Ce que vous avez à offrir est unique, tant en ce qui concerne vos projets à long terme que l'emploi quotidien de votre temps.

À moins de réfléchir à ce que vous voulez accomplir dans la vie, vous risquez d'être stressé et de faire subir ce stress à votre entourage. Il ne suffit pas d'avoir beaucoup de talents et d'aptitudes ni d'ailleurs de pouvoir concentrer son attention sur l'extérieur: vous devez regarder à l'intérieur de vous. Laissez votre intuition vous aider à trouver un véhicule convenable pour vos dons et aptitudes. Vous pouvez identifier ceux-ci en observant les domaines où vous excellez, les activités qui vous rendent heureux, qui vous font vous sentir tout à fait vivant et en paix. Pour reconnaître celles-ci, vous avez besoin de moments de solitude. Si vous faites un travail que vous aimez — qu'il s'agisse d'harmoniser les rapports entre les gens ou d'organiser des idées ou autre chose — vous vous sentirez bien et pourrez la plupart du temps vous surpasser.

❦ *Quand j'accomplis un travail que j'aime, je le fais bien.* ❦

Certes, l'orientation professionnelle et les tests psychométriques ont leur utilité pour évaluer les emplois qui vous conviennent, mais il n'en est pas moins important pour vous, en tant qu'individu, d'identifier votre but dans la vie. Lorsque vous vous lancez à la recherche d'un emploi ou que vous en commencez un nouveau, écoutez votre intuition. Elle peut vous fournir des indices quant à l'emploi qui serait idéal pour vous. Écoutez-vous, prêtez l'oreille aux murmures et allusions de votre intuition. Puis agissez en conséquence.

Si vous ne consacrez pas votre temps et votre attention à ce qui vous convient le mieux, vous perdrez votre joie de vivre et aurez tendance à compter sur les autres et sur vos succès extérieurs pour vous sentir bien. Bien que nous ayons tous besoin de compagnie, de relations aimantes, d'amis et de notre famille, les conseils d'autrui ne peuvent remplacer les incitations de notre intuition. Vous êtes à votre mieux lorsque vous dirigez votre énergie et votre attention là où il le faut.

Chaque individu est investi d'une mission unique dans la vie. Une personne peut être appelée à influencer et à aider un grand nombre de personnes, tandis qu'une autre ne sera connue qu'au sein du cercle restreint de ses amis et de sa famille. Ce qui convient à une personne ne convient pas nécessairement à une autre. C'est en consultant votre intuition que vous découvrirez votre mission personnelle. Cette mission est, de par son essence, aussi unique et spéciale que vous-même.

❦ *Je suis investi d'une mission unique.* ❦

Vous sentir investi d'une mission, c'est viser un but plus élevé pour vous-même dans votre vie professionnelle, un but qui englobera votre situation courante, tout en la dépassant. Cela vous donnera une idée nette de la voie à suivre et des actions à accomplir pour garder votre vie en équilibre. Cela peut aussi vous motiver, vous stimuler et vous rappeler votre vraie valeur les jours où vous vous sentez déprimé et peu inspiré. Si vous écoutez votre intuition et l'utilisez pour déterminer votre but et le modifier au besoin, vous comprendrez mieux votre situation actuelle et le chemin à suivre.

Cible personnelle

DÉTERMINEZ VOTRE BUT DANS LA VIE

1. Passez en revue vos qualités et aptitudes, et écrivez celles qui vous plaisent particulièrement.

2. Notez ce qui compte pour vous lorsque vous regardez le monde à travers votre lorgnette personnelle. Y a-t-il des choses qui vous irritent ou vous plaisent? Cherchez des moyens de les changer ou de les améliorer.

3. Que vous ont enseigné les difficultés que vous avez surmontées dans votre vie? Comment pouvez-vous mettre cette expérience au service des autres? Quel objectif avez-vous atteint avec succès parce qu'il vous tenait vraiment à cœur?

4. Écoutez votre intuition pour savoir ce que vous devez faire. Dans vos moments de détente et de rêverie, quel travail imaginez-vous pouvoir faire? Envisagez-vous une façon de mettre ces pensées en pratique dans le cadre de votre emploi actuel ou pour lancer votre propre entreprise? Notez vos idées et inspirations dans un carnet afin de pouvoir avancer.

5. Dans la mesure du possible, définissez ce que vous voulez faire, l'essence de ce que vous voulez faire, et écrivez-le. Quelle action pourrait vous faire progresser dans cette direction: poser votre candidature

pour obtenir un emploi, fonder votre propre entreprise, recevoir une formation pertinente, faire du bénévolat? Quelles mesures concrètes pouvez-vous prendre pour atteindre ces objectifs?

Exercice de détente

Le travail idéal

Suivez la technique de détente. Détendez votre corps, mettez-vous à l'aise, respirez d'une manière normale mais détendue, et imaginez un lieu calme et magnifique. Quand vous serez parfaitement détendu, imaginez que vous exercez avec confiance et enthousiasme un emploi que vous aimez vraiment et qui fait appel à vos compétences et aptitudes. Imaginez à quoi ressemble ce travail et ses effets sur vous. Visualisez-le. Ajoutez tous les détails nécessaires pour le rendre conforme à votre désir. Maintenant, demandez à votre intuition ce que vous devriez faire. Prêtez l'oreille aux idées et intuitions qui vous viennent à l'esprit pendant que vous vaquez à vos occupations quotidiennes. Vous pouvez les noter et prendre les mesures qui s'imposent.

Huitième partie

Révision et perspectives d'avenir

17

Allez de l'avant tout en vous estimant

Maintenant que vous êtes passé à travers ce livre-ci et en avez ressenti les bénéfices, il est important que vous persévériez dans vos efforts. Même si vous visez certaines améliorations, vous pouvez le faire d'une manière détendue et agréable. L'important, c'est que vous ayez meilleure opinion de vous-même et soyez détendu et plein d'énergie. Soyez résolu à mener la vie à laquelle vous aspirez et préparez-vous à faire ce qu'il faut pour y parvenir.

Comme la seule certitude qui existe dans la vie est le changement, votre capacité de développer et de préserver votre estime de vous-même associée à l'habitude d'écouter votre intuition constitue votre meilleure garantie pour l'avenir. Il est essentiel que vous croyiez en vous-même et appréciiez ce que vous êtes. La sécurité intérieure découle de l'assurance de pouvoir faire face aux changements, aussi subits soient-ils. Elle naît de la certitude de pouvoir se fier à son intuition, si on la consulte régulièrement pour savoir ce qui est le mieux pour soi. De même que la sécurité intérieure et l'estime de soi-même sont garantes d'un avenir sûr, un avenir passionnant vous attend si vous prenez les moyens de développer et de fortifier votre estime de vous-même; car vous pourrez ainsi concentrer votre attention sur vous, sur les êtres qui vous sont chers et sur les objectifs qui vous tiennent à cœur. Rappelez-vous qu'il n'est jamais trop tôt ni trop tard pour se donner le genre de vie auquel on aspire!

Efforcez-vous chaque jour d'accroître votre estime de vous-même et votre confiance en vous, de manière à obtenir de meilleurs résultats dans tous les domaines de votre vie. Puis, il y a diverses mesures que vous voudrez mettre en œuvre chaque semaine et chaque mois après avoir déterminé vos objectifs avec l'aide de votre intuition. Les améliorations apportées peuvent être progressives et les bénéfices subtils, voire même imperceptibles, jusqu'au moment où vous constaterez à quel point votre vie a changé. Chez certaines personnes, les changements sont surtout extérieurs, tandis que d'autres ont tout simplement meilleure opinion d'elles-mêmes et de leur vie.

Lorsque pour vous les choses trouveront leur place, lorsque l'argent, l'amitié, le travail et l'amour couleront vers vous, vous serez peut-être enclin à vous culpabiliser. Vous aurez peut-être la certitude qu'une catastrophe est imminente ou vous croirez qu'il faut vous tuer à la tâche pour que tout aille bien et que de vous en dispenser serait tricher en quelque sorte! Inconsciemment, vous pensez peut-être qu'un résultat obtenu sans lutte ni souffrance n'est pas mérité — que vous ne possédez pas les qualités intrinsèques nécessaires pour obtenir ce que vous voulez. Ces pensées, comme vous avez pu le constater, sont néfastes à votre estime de vous-même et entravent votre satisfaction et votre réussite dans la vie. Mais vous savez désormais comment les chasser ou les transformer, et comment utiliser les diverses méthodes proposées dans ce livre pour mettre le cap sur une estime accrue de vous-même.

Nos étudiants ont affirmé que la simple application quotidienne des techniques décrites dans ce livre était bénéfique. Continuez de vous encourager. Une femme nous a confié qu'elle avait affiché des rappels dans sa cuisine et les relisait chaque jour. Lorsque nous l'avons connue, elle se trouvait au milieu d'un divorce et avait perdu son emploi. En l'espace d'un an, elle émergea de la douleur et de l'épreuve plus forte, plus calme et plus résolue qu'avant. Qui plus est, elle avait trouvé, non seulement une meilleure relation amoureuse, mais aussi, un meilleur emploi! Voici quelques rappels utiles.

Stimulants de l'estime de soi-même

- Cessez de vous critiquer au jour le jour.
- Pratiquez les trois A du développement de l'estime de soi-même:
  Acceptez-vous.
  Approuvez-vous.
  Appréciez-vous.
- Prenez conscience de vos pensées destructrices:
  «Je ne viendrai jamais à bout de cette tâche.»
  «Je ne sais pas comment conduire cette affaire/comment m'y prendre avec telle personne.»
  «Je ne suis pas à la hauteur.»
  et remplacez-les par:
  «Je viens à bout de toutes mes tâches.»
  «Je sais comment conduire cette affaire.»
  «Je suis plus que compétent.»
  Vous vous sentirez mieux si vous répétez ces affirmations positives et vous obtiendrez de meilleurs résultats!
- Associez vos nouvelles pensées constructives à des sentiments positifs et vous vous sentirez aussitôt confiant et heureux.
- Imaginez que vous placez vos inquiétudes répétitives face au passé et à l'avenir dans une boîte et que vous les voyez disparaître. Vous vous sentez libre de prendre toute mesure qui s'impose. Acceptez toutes vos émotions. Détendez-vous et ressentez les émotions: elles se transformeront et vous incommoderont beaucoup moins.
- Cessez de vous blâmer et de blâmer les autres. Reprenez la technique pour vous libérer du blâme (page 42) chaque fois que vous le désirez. Occupez-vous de ce qui vous tient à cœur et plongez-vous dans vos activités favorites. Cela apaisera votre esprit.
- Devant les changements inopinés, détendez-vous et soyez convaincu que vous saurez y faire face. Vous discernerez plus clairement la ligne de conduite à adopter.
- Cherchez des façons de mieux prendre soin de vous-même. Si vous êtes surchargé, ménagez-vous encore davantage et adonnez-vous à des activités agréables.

- Accordez-vous quelques minutes de détente chaque jour. Écoutez votre intuition. Quelle que soit la situation dont vous devez vous accommoder, demandez-vous: «Qu'ai-je besoin de savoir? Qu'ai-je besoin de faire?» Les réponses vous viendront, que ce soit sur le moment ou plus tard. Fiez-vous à votre intuition, elle vous indiquera ce que vous devez faire à chaque moment de la journée.
- Vous êtes important, ce que vous voulez est important. Où allez-vous? Rêvez, visualisez, clarifiez. Écoutez votre intuition pour déterminer vos objectifs et les diviser en étapes faciles à exécuter, puis passez à l'action.
- N'oubliez jamais que vous *êtes* spécial et que votre vie est précieuse!

Équilibre et cible de votre vie

Vous êtes peut-être conscient du fait qu'un aspect de votre vie exige toute votre attention. Cela crève les yeux ou est plus subtil et se manifeste sous la forme d'un sentiment, disons, de mécontentement par rapport à un aspect particulier de votre vie. Si ce sentiment est imprécis, vérifiez si votre vie est équilibrée, notez ce que vous souhaiteriez pour chaque domaine. Ensuite, choisissez-en un sur lequel vous travaillerez en premier lieu et déterminez vos objectifs. Il est important que vous écriviez ce que vous voulez. Après tout, c'est ce que vous faites avant d'aller à l'épicerie! Aussi est-ce encore plus important pour ce que vous voulez accomplir dans votre vie.

Vous avez remarqué que les «stimulants de l'estime de soi-même» vous rappellent que vous êtes important. Ce que vous voulez est important. Et vous êtes le seul à pouvoir décider ce que vous voulez. Il s'agit d'un processus continu. Cela signifie que vous devez constamment vous demander: «Qu'est-ce qui me conviendrait et me rendrait heureux?» «Que dois-je viser dans ce domaine?» Si vous prenez quelques minutes chaque semaine et chaque mois pour écrire vos objectifs, vous pourrez mieux vous concentrer sur ce qui compte pour vous.

Même si tout marche bien dans votre vie, il y aura des jours où vous serez mal fichu et d'autres où des changements inattendus vous dérouteront. Votre désarroi peut être si total que la seule pensée de faire un geste constructif vous donnera l'envie de lancer ce livre contre le mur! Le moment est justement parfaitement choisi pour mettre en pratique ce que vous avez appris sur l'estime de soi-même. Rappelez-vous que ce bouleversement est momentané et que vous passerez à travers. Ce n'est pas une situation permanente, même si elle vous apparaît ainsi pour l'instant.

Même si vous avez pris soin de vous-même du mieux possible, que vous vous sentez mieux et avez constaté des améliorations, vous pouvez fort bien essuyer un brusque revers ou affronter un soudain renversement de situation. De même, vous ne pouvez manquer de rencontrer des gens qui ne partagent pas vos idées. Vous risquez d'être déçu, de prime abord, parce que tout marchait si bien pour vous jusque-là. Cela ne veut pas dire néanmoins que tout est perdu. Étant humain, vous réagirez sur le plan émotif, que vous en soyez conscient ou non. Les changements subits et non désirés peuvent vous déconcerter, surtout si vous vous sentez impuissant et que l'on ne tient pas compte de vos sentiments. Mais vous savez désormais comment vous tirer d'un mauvais pas. Aussi ardu que puisse vous sembler la mise en pratique de ce que vous avez appris jusqu'ici, vous aurez l'impression, si vous utilisez une sorte de «premiers soins» pour l'estime de soi-même, de mieux dominer la situation et vous vous sentirez plus optimiste.

Premiers soins pour l'estime de soi-même

- Inspirez profondément et rappelez-vous que vous êtes en sécurité et en santé. Dites-vous simplement: «Je m'approuve et je m'appuie.»
- Donnez-vous la permission de ressentir vos émotions afin qu'elles puissent se transformer et passer. Vous pouvez aussi vous calmer en pratiquant une activité physique: faites une promenade, activez-vous à la maison ou dans le jardin. Puis, s'il y a lieu, voyez si vous pouvez autant que possible renoncer à vous accuser et à blâmer la ou les personnes en cause.
- Quelles sont les pensées vraiment positives que vous entretenez à propos de vous-même et du résultat que vous désirez obtenir?

- Décrivez volontairement votre situation comme une simple situation et non comme un drame affectif. Notez toute mesure concrète susceptible de l'améliorer.
- Communiquez avec une ou des personnes aptes à vous soutenir; passez du temps avec elles ou parlez-leur au téléphone, si nécessaire.
- S'il est excellent de solliciter l'appui des autres, vous avez également besoin d'un moment de calme pour intégrer l'expérience et reporter votre attention sur ce qui compte à vos yeux. Si vous avez l'impression d'avoir été totalement distrait de ce qui vous tient à cœur, concentrez-vous sur ce qui peut vous aider et est efficace pour vous.
- Demandez-vous honnêtement quel est le geste le plus gentil que vous puissiez faire pour vous-même et faites-le. Il peut s'agir d'embellir votre environnement avec des fleurs ou de vous accorder une pause d'une demi-heure.
- Rappelez-vous qu'il s'agit d'*une expérience momentanée* et que vous *pouvez* la traverser avec profit.

Créez l'avenir que vous désirez

Rappelez-vous que vous êtes au centre de votre vie, que vous pouvez choisir la sorte de personne que vous voulez être et ce que vous voulez accomplir.

Il est important de savoir ce que l'on veut dans la vie. Vous êtes important, votre présent et votre avenir sont importants. Écrivez vos rêves, vos désirs, ce qui vous attire et le travail que vous aimeriez accomplir. Écoutez votre intuition et agissez en conséquence. Il n'est jamais trop tôt ni trop tard pour créer l'avenir que l'on souhaite.

Même si les distractions sont nombreuses, appréciez-vous et respectez-vous suffisamment pour vous concentrer sur ce qui vous tient à cœur. Soyez compatissant envers vous-même et envers les autres. La découverte de ce que l'on veut être et de ce que l'on veut accomplir dans sa vie est une aventure continue. En vous consacrant à cette tâche, vous offrirez le meilleur de vous-même à la société et trouverez bonheur et satisfaction.

Cible personnelle

Pour un avenir sûr et passionnant

1. Si vous reconsidérez votre vie, quelle sorte de personne voulez-vous être; quel projet avez-vous le plus à cœur de réaliser? Prenez-en note et mentionnez aussi vos qualités et aptitudes ainsi que les choses que vous désirez: un emploi qui vous permette de laisser votre marque, une belle maison, des voyages. Si vous souhaitez plus d'amis et de plaisir, mentionnez-le aussi! Ne vous souciez pas pour l'instant de la façon dont vous réaliserez ces désirs, mais élargissez votre perspective. Prenez des notes, ci-dessous d'abord, puis dans votre carnet.

2. Maintenant, déterminez les objectifs qui vous permettront de réaliser vos désirs et accordez-vous des délais de, disons, deux ans, deux mois et deux semaines pour cheminer vers la réalisation de vos buts. Quels objectifs comptent le plus pour vous? Écrivez-les ici.

3. Que vous faudra-t-il laisser tomber ou modifier?

4. Quelles pensées vous aideront à y parvenir?

5. Qui vous appuiera?

6. Déterminez les étapes à suivre en commençant par une mesure que vous pouvez mettre en œuvre au cours des prochains jours.

Conservez une excellente estime de vous-même

Au cours des deux ou trois prochaines semaines, mettez en pratique les stimulants de l'estime de soi-même. Vous voudrez peut-être élaborer un programme d'environ cinq à dix minutes que vous suivrez à une heure précise à tous les jours. Faites alterner vos moments de détente avec la recherche de nouvelles pensées constructives ou une séance de renoncement au blâme et d'intégration émotionnelle. À d'autres moments de la journée, rappelez-vous simplement qu'il vous faut utiliser tout aspect du travail sur l'estime de soi dont vous voulez tirer parti. Notez votre programme personnel ci-dessous.

Exercice de détente

Allez de l'avant tout en vous estimant

Tout en vous détendant, visualisez et ressentez une tranquillité doublée d'enthousiasme. Sentez fondre vos inquiétudes. Observez comme vous vous sentez bien et avez l'air bien. Imaginez que votre vie vous soutient dans vos efforts et notez ce que vous voulez accomplir. Visualisez-le. Observez ce que vous faites, avec qui vous vous trouvez, quel est votre environnement; ne lésinez pas sur les détails. Émettez des pensées bienveillantes pour vous faciliter les choses. Écoutez votre intuition afin de concrétiser vos désirs les plus chers et demandez-lui: «Qu'est-il important que je sache?», «Qu'est-il important que je fasse?» Ouvrez doucement les yeux. Consignez toute pensée susceptible de vous être utile.

Conclusion

Maintenant que vous avez lu ce livre, vous serez davantage à même de conserver une juste estime de vous-même et de la renforcer dans les moments cruciaux. Votre vie ne peut aller qu'en s'améliorant. Vous savez désormais comment vous y prendre pour opérer des changements bénéfiques pour vous. Vous pouvez à tout moment vérifier ce que vous devez faire en écoutant votre intuition.

Vous mettrez très certainement du temps à réaliser tous les changements que vous souhaitez. Il faut un certain entraînement pour modifier sa façon de penser, de sentir et d'agir. De plus, l'habitude de vous détendre et de travailler sur votre estime de vous-même ne vous viendra pas tout de suite, même si vous en ressentez déjà les bénéfices. Mais si vous persévérez, vous gagnerez une impression d'équilibre et de maîtrise, aussi inattendus que soient les changements que vous affrontez.

Votre intuition vous indiquera la conduite à adopter à chaque instant. Vous possédez désormais des informations utiles et vous savez quand et comment les mettre en pratique. Si vous vous attelez à la tâche dès maintenant, vous en ressentirez aussitôt les bienfaits.

Comme vous vous appréciez et que vous vous respectez vous-même, il vous est tout naturel de respecter les autres et votre environnement, et d'accomplir les actions que vous savez nécessaires et bénéfiques.

Vous avez constaté que, dans chaque domaine de votre vie, vous devez à tout prix tenir compte de votre caractère unique. Votre intuition est votre clé. Ce que vous voulez est personnel, ça n'appartient qu'à vous. Vous avez une contribution spéciale et personnelle à offrir à la société. Personne ne peut prendre votre place. Ayez le courage d'avancer dans la vie. C'est à travers les décisions que vous inspirent votre intuition, vos choix et vos actions que vous créez votre destinée au jour le jour.

Table des matières

imprimerie gagné ltée

IMPRIMÉ AU CANADA